JN007403

**2025年度版**

TAC税理士講座

税理士受験シリーズ

# 38

## 相続税法

### 理論マスター

**TAC出版**

TAC PUBLISHING Group

# は じ め に

　相続税法の理論問題は、個別問題、応用問題又は事例問題と様々な出題形式があるが、いずれの場合であっても基本となるのは個々の条文である。

　この個々の条文に関し、課税要件、課税対象者etc. といった整理ができていれば、どんな形式で問われても恐れるに足らない。

　本書（令和6年度の改正を考慮したもの）においては、条文にできるだけ忠実な形で、基本的な個別問題をテーマ別に区分して収録している。

　この一冊を完璧にマスターすれば、理論問題に関しての重要条文はすべて押さえたこととなり、楽に合格レベルに達することができる。

　あとは、応用問題対策及び事例問題対策として、理論ドクターで組み合わせの学習をし、磨きをかけるだけである。

　本書を利用することにより、一人でも多くの受験生が合格の栄冠を勝ち取られんことを願ってやまない。

（本書は令和6年4月1日の施行法令に準拠している。）

ＴＡＣ税理士講座

---

### 凡　　　　例

| | | |
|---|---|---|
| 法　………… | 相続税法 |
| 法附則　……… | 相続税法附則 |
| 令　………… | 相続税法施行令 |
| 令附則　……… | 相続税法施行令附則 |
| 措法　………… | 租税特別措置法 |
| 措令　………… | 租税特別措置法施行令 |
| 措規　………… | 租税特別措置法施行規則 |
| 国通法　……… | 国税通則法 |

### 引　用　例

| | |
|---|---|
| 法3①二　……… | 相続税法第3条第1項第二号 |

## 本書を使用する際の注意点

### 1 テーマについて

　法体系の確認がしやすいように、各理論問題については、テーマごとに分けて収録し、各テーマをページの上部に表示してあります。

　また、各理論問題は、各テーマに属する枝番号（1－1等）で表示してあります。

　法令の体系的な学習（応用理論対策等）に役立ててください。

### 2 ランクについて

　各理論問題について、その科目を学習する上での重要度（ランク）を、理論問題のタイトルの横に表示してあります。

　理論学習をする際の指針としてください。

　ランクA　……　学習をするにあたって非常に重要度の高い理論問題
　ランクB　……　学習をするにあたって比較的重要度の高い理論問題
　ランクC　……　学習をするにあたって比較的重要度の低い理論問題

### 3 重要度について

　各理論問題の中の各項目について、その理論問題の中での重要度を、項目のタイトルの横に表示してあります。

　理論学習をする際の指針としてください。

　◎　……　その理論問題の中で非常に重要度の高い項目
　○　……　その理論問題の中で比較的重要度の高い項目
　△　……　その理論問題の中で比較的重要度の低い項目

### 4 カッコ書きについて

　本文中のカッコ書きについては、本文との区別がしやすいように文字の大きさを小さくして収録してあります。

　まずはカッコ書きを除いて文章を確認し、その後、カッコ書きを付け足す形で確認をすると学習しやすくなりますので、参考にしてください。

### 5 条文番号について

　各理論問題の中の各項目について、参照して頂く条文番号を表示してありますが、条文番号については暗記（解答）する必要はありません。

# CONTENTS

## 目　　次

## テーマ4：贈与税の課税価格・税額計算

## テーマ5：相続時精算課税

## テーマ6：財産の評価

## テーマ7：申　告

## テーマ8：納　付

## テーマ9：納税猶予

## テーマ10：災害関係

# 納 税 義 務 者

**1−1** 相続税又は贈与税の納税義務者
及び課税財産の範囲

## 1．相続税の納税義務者　　　　　　　　　　　重要度◎

次の者は、相続税を納める義務がある。

(1) **居住無制限納税義務者**（法1の3①一）

相続又は遺贈により財産を取得した次の者で、その財産を取得した時において法施行地に住所を有するもの

① 一時居住者でない個人

② 一時居住者である個人（被相続人が外国人被相続人又は非居住被相続人である場合を除く。）

(2) **非居住無制限納税義務者**（法1の3①二）

相続又は遺贈により財産を取得した次の者で、その財産を取得した時において法施行地に住所を有しないもの

① 日本国籍を有する個人で次のもの

イ 相続の開始前10年以内のいずれかの時において法施行地に住所を有していたことがあるもの

ロ 相続の開始前10年以内のいずれの時においても法施行地に住所を有していたことがないもの（被相続人が外国人被相続人又は非居住被相続人である場合を除く。）

② 日本国籍を有しない個人（被相続人が外国人被相続人又は非居住被相続人である場合を除く。）

(3) **居住制限納税義務者**（法1の3①三）

相続又は遺贈により法施行地にある財産を取得した個人でその財産を取得した時において法施行地に住所を有するもの（(1)の者を除く。）

(4) **非居住制限納税義務者**（法1の3①四）

相続又は遺贈により法施行地にある財産を取得した個人でその財産を取得した時において法施行地に住所を有しないもの（(2)の者を除く。）

(5) **特定納税義務者**（法1の3①五）

贈与により相続時精算課税適用財産を取得した個人（(1)から(4)の者を除く。）

## ２．相続税の課税財産の範囲 重要度○

(1) **無制限納税義務者**（法２①）

相続又は遺贈により取得した財産の全部に対し、相続税を課する。

(2) **制限納税義務者**（法２②）

相続又は遺贈により取得した財産で法施行地にあるものに対し、相続税を課する。

## ３．贈与税の納税義務者 重要度◎

次の者は、贈与税を納める義務がある。

(1) **居住無制限納税義務者**（法１の４①一）

贈与により財産を取得した次の者で、その財産を取得した時において法施行地に住所を有するもの

① 一時居住者でない個人

② 一時居住者である個人（贈与者が外国人贈与者又は非居住贈与者である場合を除く。）

(2) **非居住無制限納税義務者**（法１の４①二）

贈与により財産を取得した次の者で、その財産を取得した時において法施行地に住所を有しないもの

① 日本国籍を有する個人で次のもの

イ 贈与前10年以内のいずれかの時において法施行地に住所を有していたことがあるもの

ロ 贈与前10年以内のいずれの時においても法施行地に住所を有していたことがないもの（贈与者が外国人贈与者又は非居住贈与者である場合を除く。）

② 日本国籍を有しない個人（贈与者が外国人贈与者又は非居住贈与者である場合を除く。）

(3) **居住制限納税義務者**（法１の４①三）

贈与により法施行地にある財産を取得した個人でその財産を取得した時において法施行地に住所を有するもの（(1)の者を除く。）

(4) **非居住制限納税義務者**（法１の４①四）

贈与により法施行地にある財産を取得した個人でその財産を取得した時において法施行地に住所を有しないもの（(2)の者を除く。）

## ４．贈与税の課税財産の範囲 重要度○

(1) **無制限納税義務者**（法２の２①）

贈与により取得した財産の全部に対し、贈与税を課する。

(2) **制限納税義務者**（法２の２②）

贈与により取得した財産で法施行地にあるものに対し、贈与税を課する。

## ５．国外転出時の特例に伴う相続税の納税義務者の取扱い（法１の３②） 重要度△

(1) 所得税法に規定する国外転出時課税等の特例に係る納税猶予の適用を受ける個人が死亡した場合には、その個人の死亡に係る１(1)②又は(2)①ロもしくは②の適用については、その個人は、相続開始前10年以内のいずれかの時において法施行地に住所を有していたものとみなす。

(2) 所得税法に規定する国外転出時課税等の特例に係る納税猶予の適用を受ける者からその適用に係る贈与により財産を取得した受贈者が死亡した場合には、その受贈者の死亡に係る１(1)②又は(2)①ロもしくは②の適用については、その受贈者は、相続開始前10年以内のいずれかの時において法施行地に住所を有していたものとみなす。

ただし、その受贈者がその納税猶予に係る贈与前10年以内のいずれの時においても法施行地に住所を有していたことがない場合には、この限りでない。

(3) 所得税法に規定する国外転出時課税等の特例に係る納税猶予の適用を受ける相続人（包括受遺者を含む。以下同じ。）が死亡（以下(3)において「二次相続」という。）した場合には、その二次相続に係る１(1)②又は(2)①ロもしくは②の適用については、その相続人は、その二次相続開始前10年以内のいずれかの時において法施行地に住所を有していたものとみなす。

ただし、その相続人がその納税猶予に係る相続開始前10年以内のいずれの時においても法施行地に住所を有していたことがない場合には、この限りでない。

## ６．国外転出時の特例に伴う贈与税の納税義務者の取扱い （法１の４②）　重要度△

テーマ 1

(1)　所得税法に規定する国外転出時課税等の特例に係る納税猶予の適用を受ける個人が財産の贈与をした場合には、その贈与に係る３(1)②又は(2)①ロもしくは②の適用については、その個人は、その贈与前10年以内のいずれかの時において法施行地に住所を有していたものとみなす。

(2)　所得税法に規定する国外転出時課税等の特例に係る納税猶予の適用に係る贈与により財産を取得した受贈者が財産の贈与（以下(2)において「二次贈与」という。）をした場合には、その二次贈与に係る３(1)②又は(2)①ロもしくは②の適用については、その受贈者は、その二次贈与前10年以内のいずれかの時において法施行地に住所を有していたものとみなす。

　　ただし、その受贈者がその納税猶予に係る贈与前10年以内のいずれの時においても法施行地に住所を有していたことがない場合には、この限りでない。

(3)　所得税法に規定する国外転出時課税等の特例の適用がある場合の納税猶予の適用を受ける相続人が財産の贈与をした場合には、その贈与に係る３(1)②又は(2)①ロもしくは②の適用については、その相続人は、その贈与前10年以内のいずれかの時において法施行地に住所を有していたものとみなす。

　　ただし、その相続人がその納税猶予に係る相続開始前10年以内のいずれの時においても法施行地に住所を有していたことがない場合には、この限りでない。

⑴　**相続税の納税義務者**

①　一時居住者（法１の３③一）

相続開始の時において在留資格を有する者で、その相続の開始前15年以内において法施行地に住所を有していた期間の合計が10年以下であるものをいう。

②　外国人被相続人（法１の３③二）

相続開始の時において、在留資格を有し、かつ、法施行地に住所を有していた被相続人をいう。

③　非居住被相続人（法１の３③三）

相続開始の時において法施行地に住所を有していなかった被相続人で、その相続の開始前10年以内のいずれかの時において法施行地に住所を有していたことがあるもののうちそのいずれの時においても日本国籍を有していなかったもの又はその相続の開始前10年以内のいずれの時においても法施行地に住所を有していたことがないものをいう。

⑵　**贈与税の納税義務者**

①　一時居住者（法１の４③一）

贈与の時において在留資格を有する者で、その贈与前15年以内において法施行地に住所を有していた期間の合計が10年以下であるものをいう。

②　外国人贈与者（法１の４③二）

贈与の時において、在留資格を有し、かつ、法施行地に住所を有していた贈与者をいう。

③　非居住贈与者（法１の４③三）

贈与の時において法施行地に住所を有していなかった贈与者で、その贈与前10年以内のいずれかの時において法施行地に住所を有していたことがあるもののうちそのいずれの時においても日本国籍を有していなかったもの又はその贈与前10年以内のいずれの時においても法施行地に住所を有していたことがないものをいう。

（MEMO）

**1-2**
# 人格のない社団等及び持分の定めのない法人に対する課税

## 1．人格のない社団等に対する課税（法66①）　　重要度◎

　人格のない社団等に対し財産の贈与又は遺贈があった場合においては、その社団等を個人とみなして、これに贈与税又は相続税を課する。

## 2．持分の定めのない法人に対する課税（法66④）　　重要度◎

　持分の定めのない法人に対し財産の贈与又は遺贈があった場合において、その贈与又は遺贈によりその贈与又は遺贈をした者の親族その他これらの者と特別の関係がある者の相続税又は贈与税の負担が不当に減少する結果となると認められるときは、その法人を個人とみなして、これに贈与税又は相続税を課する。

## 3．贈与税額又は相続税額の計算　　重要度〇

### (1)　贈与税額の計算方法（法66①④）

　1又は2の場合においては、贈与により取得した財産について、贈与者の異なるごとに、その贈与者の各一人のみから財産を取得したものとみなして算出した場合の贈与税額の合計額をもって1の社団等又は2の法人の納付すべき贈与税額とする。

### (2)　法人税等相当額の控除（法66⑤）

　1の社団等又は2の法人に課される贈与税又は相続税の額については、1の社団等又は2の法人に課されるべき法人税等の額に相当する額を控除する。

## 4．住所の判定（法66③④）　　重要度△

　1から3の場合において、相続税又は贈与税の納税義務者の規定の適用については、1の社団等又は2の法人の住所は、主たる営業所又は事務所の所在地にあるものとみなす。

（MEMO）

## 1-3 特定一般社団法人等に対する課税

### 1．特定一般社団法人等に対する課税 （法66の2①）　　　重要度◎

　一般社団法人等の理事である者（理事でなくなった日から5年を経過していない者を含む。）が死亡した場合において、その一般社団法人等が特定一般社団法人等に該当するときは、その特定一般社団法人等はその死亡した者（以下「被相続人」という。）の相続開始の時におけるその特定一般社団法人等の純資産額をその時における同族理事の数に1を加えた数で除して計算した金額をその被相続人から遺贈により取得したものと、その特定一般社団法人等は個人とそれぞれみなして、相続税を課する。

### 2．相続税額の計算 （法66の2③⑤）　　　重要度△

(1)　1の規定により特定一般社団法人等に相続税が課税される場合には、持分の定めのない法人に対する課税の規定により課された贈与税及び相続税の税額を控除する。

(2)　1の規定の適用がある場合において、特定一般社団法人等が被相続人に係る相続の開始前3年以内にその被相続人から贈与により取得した財産の価額については、生前贈与加算の規定は、適用しない。

### 3．住所の判定 （法66の2④）　　　重要度△

　1の場合において、相続税の納税義務者の規定の適用については、1の特定一般社団法人等の住所は、主たる事務所の所在地にあるものとする。

## 4．用語の意義　　　　　　　　　　　　　　　　重要度△

### (1)　一般社団法人等（法66の2②一）

　　一般社団法人又は一般財団法人（相続開始の時において公益社団法人又は公益財団法人、非営利型法人その他の一定の一般社団法人又は一般財団法人を除く。）をいう。

### (2)　同族理事（法66の2②二）

　　一般社団法人等の理事のうち、被相続人又はその配偶者、三親等内の親族その他のその被相続人と特殊の関係のある者をいう。

### (3)　特定一般社団法人等（法66の2②三）

　　一般社団法人等であって次の要件のいずれかを満たすものをいう。

①　相続開始の直前における被相続人に係る同族理事の数の理事の総数のうちに占める割合が2分の1を超えること。

②　相続の開始前5年以内において被相続人に係る同族理事の数の理事の総数のうちに占める割合が2分の1を超える期間の合計が3年以上であること。

**11**

(MEMO)

# みなし取得財産

## 2-1 相続又は遺贈により取得したものとみなす場合

---

### 1．相続又は遺贈により取得したものとみなす場合 　　重要度◎

　次のいずれかの場合においては、それぞれの者が、それぞれの財産を相続又は遺贈により取得したものとみなす。

　この場合において、その者が相続人であるときはその財産を相続により取得したものとみなし、その者が相続人以外の者であるときはその財産を遺贈により取得したものとみなす。

(1) **生命保険金等**（法3①一）

　　被相続人の死亡により相続人その他の者が生命保険契約の保険金又は損害保険契約の保険金（偶然な事故に基因する死亡に伴い支払われるものに限る。）を取得した場合においては、その**保険金受取人**について、その保険金のうち次の算式により計算した部分

　　《算　式》

$$\left[\begin{array}{c}\text{その保険金}\\ \text{(2)及び(5)又は}\\ \text{(6)を除く。}\end{array}\right] \times \frac{\text{被相続人が負担した保険料の金額}}{\text{被相続人の死亡の時までに払い込まれた保険料の全額}}$$

(2) **退職手当金等**（法3①二）

　　被相続人の死亡により相続人その他の者がその被相続人に支給されるべきであった退職手当金等で被相続人の死亡後3年以内に支給が確定したものの支給を受けた場合においては、その**退職手当金等の支給を受けた者**について、その退職手当金等

(3) **生命保険契約に関する権利**（法3①三）

　　相続開始の時において、まだ保険事故が発生していない生命保険契約（一定期間内に保険事故が発生しなかった場合において返還金等の支払がない生命保険契約を除く。）で被相続人が保険料の全部又は一部を負担し、かつ、被相続人以外の者が契約者であるものがある場合においては、その**契約者**について、その契約に関する権利のうち次の算式により計算した部分

　　《算　式》

$$\text{その契約に関する権利} \times \frac{\text{被相続人が負担した保険料の金額}}{\text{相続開始の時までに払い込まれた保険料の全額}}$$

⑷　**定期金給付契約に関する権利**（法３①四）

　　相続開始の時において、まだ定期金給付事由が発生していない定期金給付契約（生命保険契約を除く。）で被相続人が掛金又は保険料の全部又は一部を負担し、かつ、被相続人以外の者が契約者であるものがある場合においては、その契約者について、その契約に関する権利のうち次の算式により計算した部分

《算　　式》

$$その契約に関する権利 \times \frac{被相続人が負担した掛金又は保険料の金額}{相続開始の時までに払い込まれた掛金又は保険料の全額}$$

⑸　**保証期間付定期金に関する権利**（法３①五）

　　定期金給付契約で定期金受取人に対し定期金を給付し、かつ、その者が死亡したときはその死亡後遺族その他の者に対して定期金又は一時金を給付するものに基づいて定期金受取人たる被相続人の死亡後相続人その他の者が継続受取人となった場合においては、その継続受取人となった者について、その定期金給付契約に関する権利のうち次の算式により計算した部分

《算　　式》

$$その定期金給付契約に関する権利 \times \frac{被相続人が負担した掛金又は保険料の金額}{相続開始の時までに払い込まれた掛金又は保険料の全額}$$

⑹　**契約に基づかない定期金に関する権利**（法３①六）

　　被相続人の死亡により相続人その他の者が定期金に関する権利で契約に基づくもの以外のものを取得した場合においては、その定期金に関する権利を取得した者について、その定期金に関する権利（⑵を除く。）

## ２．被相続人の被相続人が負担した保険料又は掛金（法３②）　重要度△

　　１⑴又は⑶から⑸の規定の適用については、被相続人の被相続人が負担した保険料又は掛金は、被相続人が負担した保険料又は掛金とみなす。

　　ただし、１⑶又は⑷の規定により契約者がその被相続人の被相続人から生命保険契約に関する権利又は定期金給付契約に関する権利を相続又は遺贈により取得したものとみなされた場合においては、その被相続人の被相続人が負担した保険料又は掛金については、この限りでない。

## ３．遺言により払い込まれた保険料又は掛金（法３③）　重要度△

　　１⑶又は⑷の規定の適用については、被相続人の遺言により払い込まれた保険料又は掛金は、被相続人が負担した保険料又は掛金とみなす。

# 2-2 遺贈により取得したものとみなす場合

| 遺贈により取得したものとみなす場合 | 重要度◎ |
| --- | --- |

(1)　**相続財産法人からの財産の分与**（法4①）

　　民法の規定により相続財産法人から相続財産の全部又は一部を与えられた場合においては、その与えられた者が、その与えられた時におけるその財産の時価に相当する金額を被相続人から遺贈により取得したものとみなす。

(2)　**特別寄与料**（法4②）

　　特別寄与者が支払を受けるべき特別寄与料の額が確定した場合においては、その特別寄与者が、その特別寄与料の額に相当する金額を被相続人から遺贈により取得したものとみなす。

（MEMO）

**テーマ2　みなし取得財産**　　　　　　　　　　　　**ランク A**

## 2-3　贈与により取得したものとみなす生命保険金 等

---

### 1．贈与により取得したものとみなす場合　　重要度◎

(1)　**生命保険金等**（法5①）

　　生命保険契約の保険事故（傷害、疾病その他これらに類する保険事故で死亡を伴わないものを除く。）又は損害保険契約の保険事故（偶然な事故に基因する保険事故で死亡を伴うものに限る。）が発生した場合において、保険料の全部又は一部が保険金受取人以外の者によって負担されたものであるときは、これらの保険事故が発生した時において、**保険金受取人**が、その取得した保険金のうち次の算式により計算した部分をその保険料を負担した者から贈与により取得したものとみなす。

**《算　式》**

$$
その取得した 保\ \ 険\ \ 金 \times \frac{保険金受取人以外の者が負担した保険料の金額}{保険事故が発生した時までに払い込まれた保険料の全額}
$$

(2)　**返還金等**（法5②）

　　(1)の規定は、(1)の契約について返還金等の取得があった場合について準用する。

---

### 2．保険料負担者の被相続人が負担した保険料（法5③）　　重要度△

　　1の規定の適用については、1に規定する保険料を負担した者の被相続人が負担した保険料は、**その者が負担した保険料とみなす。**

　　ただし、生命保険契約に関する権利の規定により1に規定する保険金受取人又は返還金等の取得者がその被相続人から生命保険契約に関する権利を相続又は遺贈により取得したものとみなされた場合においては、その被相続人が負担した保険料については、この限りでない。

---

### 3．贈与により取得したものとみなさない場合（法5④）　　重要度◎

　　1(1)の規定は、1(1)に規定する保険金受取人が生命保険金等又は退職手当金等を相続又は遺贈により取得したものとみなされる場合においては、適用しない。

**18**

（MEMO）

## 2-4 　贈与により取得したものとみなす定期金

| 1. 贈与により取得したものとみなす場合 | 重要度◎ |

### (1) 定期金に関する権利 （法6①）

　　定期金給付契約（生命保険契約を除く。）の定期金給付事由が発生した場合において、掛金又は保険料の全部又は一部が定期金受取人以外の者によって負担されたものであるときは、その定期金給付事由が発生した時において、定期金受取人が、その取得した定期金給付契約に関する権利のうち次の算式により計算した部分をその掛金又は保険料を負担した者から贈与により取得したものとみなす。

《算　式》

$$\text{その取得した定期金給付契約に関する権利} \times \frac{\text{定期金受取人以外の者が負担した掛金又は保険料の金額}}{\text{定期金給付事由が発生した時までに払い込まれた掛金又は保険料の全額}}$$

### (2) 返還金等 （法6②）

　　(1)の規定は、(1)の契約について返還金等の取得があった場合について準用する。

### (3) 保証期間付定期金に関する権利 （法6③）

　　定期金給付契約で定期金受取人に対し定期金を給付し、かつ、その者が死亡したときはその死亡後遺族その他の者に対して定期金又は一時金を給付するものに基づいて定期金受取人たる被相続人の死亡後相続人その他の者が継続受取人となった場合において、掛金又は保険料の全部又は一部が継続受取人及び被相続人以外の第三者によって負担されたものであるときは、相続の開始があった時において、その継続受取人が、その取得した定期金給付契約に関する権利のうち次の算式により計算した部分をその第三者から贈与により取得したものとみなす。

《算　式》

$$\text{その取得した定期金給付契約に関する権利} \times \frac{\text{第三者が負担した掛金又は保険料の金額}}{\text{相続開始の時までに払い込まれた掛金又は保険料の全額}}$$

## ２．掛金又は保険料負担者の被相続人が負担した掛金又は 保険料（法6④）

　　１の規定の適用については、１に規定する掛金又は保険料を負担した者の被相続人が負担した掛金又は保険料は、その者が負担した掛金又は保険料とみなす。

　　ただし、定期金給付契約に関する権利の規定により１に規定する受取人又は返還金等の取得者がその被相続人から定期金給付契約に関する権利を相続又は遺贈により取得したものとみなされた場合においては、その被相続人が負担した掛金又は保険料については、この限りでない。

# 2-5　贈与又は遺贈により取得したものとみなす低額譲受、債務免除等及びその他の利益の享受

## 1．贈与又は遺贈により取得したものとみなす低額譲受 （法7）　重要度◎

　著しく低い価額の対価で財産の譲渡を受けた場合においては、その財産の譲渡があった時において、その財産の譲渡を受けた者が、その対価とその譲渡があった時におけるその財産の時価との差額に相当する金額をその財産を譲渡した者から贈与（その財産の譲渡が遺言によりなされた場合には、遺贈）により取得したものとみなす。

　ただし、その財産の譲渡が、その譲渡を受ける者が資力を喪失して債務を弁済することが困難である場合において、その者の扶養義務者からその債務の弁済に充てるためになされたものであるときは、その贈与又は遺贈により取得したものとみなされた金額のうちその債務を弁済することが困難である部分の金額については、この限りでない。

## 2．贈与又は遺贈により取得したものとみなす債務免除等 （法8）　重要度◎

　対価を支払わないで、又は著しく低い価額の対価で債務の免除、引受け又は第三者のためにする債務の弁済（以下「債務免除等」という。）による利益を受けた場合においては、その債務免除等があった時において、その債務免除等による利益を受けた者が、その債務の金額に相当する金額をその債務免除等をした者から贈与（その債務免除等が遺言によりなされた場合には、遺贈）により取得したものとみなす。

　ただし、その債務免除等が次のいずれかの場合においては、その贈与又は遺贈により取得したものとみなされた金額のうちその債務を弁済することが困難である部分の金額については、この限りでない。

　⑴　債務者が資力を喪失して債務を弁済することが困難である場合において、その債務の全部又は一部の免除を受けたとき

　⑵　債務者が資力を喪失して債務を弁済することが困難である場合において、その債務者の扶養義務者によってその債務の全部又は一部の引受け又は弁済がなされたとき

## 3．贈与又は遺贈により取得したものとみなすその他の利益 の享受 (法9)

重要度△

　　贈与又は遺贈により取得したものとみなす規定の適用がある場合を除くほか、対価を支払わないで、又は著しく低い価額の対価で利益を受けた場合においては、その利益を受けた時において、その利益を受けた者が、その利益を受けた時におけるその利益の価額に相当する金額をその利益を受けさせた者から贈与（その行為が遺言によりなされた場合には、遺贈）により取得したものとみなす。

　　ただし、その行為が、その利益を受ける者が資力を喪失して債務を弁済することが困難である場合において、その者の扶養義務者からその債務の弁済に充てるためになされたものであるときは、その贈与又は遺贈により取得したものとみなされた金額のうちその債務を弁済することが困難である部分の金額については、この限りでない。

## 2-6 贈与又は遺贈により取得したものとみなす信託に関する権利

### 1．贈与又は遺贈により取得したものとみなす信託に関する権利　　重要度◎

(1) **効力発生時**（法9の2①）

　　信託の効力が生じた場合において、適正な対価を負担せずにその信託の受益者等となる者があるときは、その信託の効力が生じた時において、その信託の受益者等となる者は、その信託に関する権利をその信託の委託者から贈与（その委託者の死亡によりその信託の効力が生じた場合には、遺贈）により取得したものとみなす。

(2) **受益者等の変更時**（法9の2②③）

① 　受益者等の存する信託について、適正な対価を負担せずに新たにその信託の受益者等が存するに至った場合（(3)の規定の適用がある場合を除く。）には、その受益者等が存するに至った時において、その信託の受益者等となる者は、その信託に関する権利をその信託の受益者等であった者から贈与（その受益者等であった者の死亡により受益者等が存するに至った場合には、遺贈）により取得したものとみなす。

② 　受益者等の存する信託について、その信託の一部の受益者等が存しなくなった場合において、適正な対価を負担せずに既にその信託の受益者等である者がその信託に関する権利について新たに利益を受けることとなるときは、その信託の一部の受益者等が存しなくなった時において、その利益を受ける者は、その利益をその信託の一部の受益者等であった者から贈与（その受益者等であった者の死亡によりその利益を受けた場合には、遺贈）により取得したものとみなす。

(3) **終了時**（法9の2④）

　　受益者等の存する信託が終了した場合において、適正な対価を負担せずにその信託の残余財産の給付を受けるべき者があるときは、その給付を受けるべき者となった時において、その信託の残余財産の給付を受けるべき者となった者は、その信託の残余財産（その信託の終了の直前においてその者がその信託の受益者等であった場合には、その受益者等として有していたその信託に関する権利に相当するものを除く。）をその信託の受益者等から贈与（その受益者等の死亡によりその信託が終了した場合には、遺贈）により取得したものとみなす。

## 2．信託財産に属する資産及び負債の承継等 (法9の2⑥) 重要度△

　1(1)又は(2)の規定により贈与又は遺贈により取得したものとみなされる信託に関する権利又は利益を取得した者は、その信託の信託財産に属する資産及び負債を取得し、又は承継したものとみなす。

## 2-7　受益者等が存しない信託等の特例

### 1. 贈与又は遺贈により取得したものとみなす信託に関する権利

**(1)　効力発生時**（法9の4①）

　　受益者等が存しない信託の効力が生ずる場合において、その信託の受益者等となる者がその信託の委託者の親族であるときは、その信託の効力が生ずる時において、その信託の受託者は、その委託者からその信託に関する権利を贈与（その委託者の死亡によりその信託の効力が生じた場合には、遺贈）により取得したものとみなす。

**(2)　受益者等の存する信託について受益者等が不存在となった時**（法9の4②）

　　受益者等の存する信託について、その信託の受益者等が不存在となった場合において、次に受益者等となる者がその信託の効力が生じた時の委託者又は前の受益者等の親族であるときは、その受益者等が不存在となった時において、その信託の受託者は、前の受益者等からその信託に関する権利を贈与（前の受益者等の死亡により受益者等が存しないこととなった場合には、遺贈）により取得したものとみなす。

**(3)　受託者が個人以外の場合**（法9の4③）

　　(1)、(2)の規定の適用がある場合において、信託の受託者が個人以外であるときは、その受託者を個人とみなして、贈与税又は相続税を課する。

**(4)　法人税等相当額の控除**（法9の4④）

　　(1)から(3)の規定の適用がある場合において、受託者に課される贈与税又は相続税の額については、その受託者に課されるべき法人税等の額に相当する額を控除する。

## 2．贈与により取得したものとみなす信託に関する権利

（法9の5）

**重要度○**

　受益者等が存しない信託について、その信託の契約締結時等において存しない者がその信託の受益者等となる場合において、その信託の受益者等となる者がその信託の契約締結時等における委託者の親族であるときは、その存しない者がその信託の受益者等となる時において、その信託の受益者等となる者は、その信託に関する権利を個人から贈与により取得したものとみなす。

## 3．信託財産に属する資産及び負債の承継等　（令1の12⑤）

**重要度△**

　1又は2の規定により贈与又は遺贈により取得したものとみなされる信託に関する権利又は利益を取得した者は、その信託の信託財産に属する資産及び負債を取得し、又は承継したものとみなす。

## 2−8　特別の法人から受ける利益に対する課税

| 特別の法人から受ける利益に対する課税 （法65①） | 重要度◎ |

　持分の定めのない法人で、その施設の利用、余裕金の運用、解散した場合における財産の帰属等について設立者、社員、理事、監事もしくは評議員、その法人に対し贈与もしくは遺贈をした者又はこれらの者の親族その他これらの者と特別の関係がある者に対し特別の利益を与えるものに対して財産の贈与又は遺贈があった場合においては、持分の定めのない法人に対する課税の規定の適用がある場合を除くほか、その財産の贈与又は遺贈があった時において、その法人から特別の利益を受ける者が、その財産の贈与又は遺贈により受ける利益の価額に相当する金額をその財産の贈与又は遺贈をした者から贈与又は遺贈により取得したものとみなす。

（MEMO）

(MEMO)

# 相続税の課税価格・税額計算

**3-1** 相続税の課税価格

| 相続税の課税価格 | 重要度◎ |

(1) **無制限納税義務者**（法11の2①）

　　相続又は遺贈により取得した財産の価額の合計額をもって、相続税の課税価格とする。

(2) **制限納税義務者**（法11の2②）

　　相続又は遺贈により取得した財産で法施行地にあるものの価額の合計額をもって、相続税の課税価格とする。

(3) **特定納税義務者**（法21の16①③）

　① 特定贈与者から相続又は遺贈により財産を取得しなかった相続時精算課税適用者については、相続時精算課税適用財産をその特定贈与者から相続（その相続時精算課税適用者が相続人以外の者である場合には、遺贈）により取得したものとみなして相続税の計算規定を適用する。

　② ①の規定により特定贈与者から相続又は遺贈により取得したものとみなされた相続時精算課税適用財産の相続税の計算規定は、次による。

　　イ　その相続時精算課税適用財産の価額は贈与の時における価額とする。

　　ロ　その相続時精算課税適用財産の価額から相続時精算課税に係る贈与税の基礎控除の規定による控除をした残額を相続税の課税価格に算入する。

（MEMO）

# 3-2 相続税法の相続税の非課税財産

## 1. 相続税の非課税財産 (法12①)  重要度◎

次の財産の価額は、相続税の課税価格に算入しない。

(1) 皇室経済法の規定により皇位とともに皇嗣が受けた物

(2) 墓所、霊びょう及び祭具並びにこれらに準ずるもの

(3) 宗教、慈善、学術その他公益を目的とする事業を行う者で一定のものが相続又は遺贈により取得した財産でその公益を目的とする事業の用に供することが確実なもの

(4) 条例の規定により地方公共団体が精神又は身体に障害のある者に関して実施する共済制度で一定のものに基づいて支給される給付金を受ける権利

(5) 相続人の取得した生命保険金等 ((4)を除く。以下同じ。) 又は退職手当金等については、①又は②の区分に応じ、①又は②の部分

　① すべての相続人が取得した生命保険金等又は退職手当金等の合計額が500万円に被相続人の法定相続人の数を乗じて算出した金額 (以下「非課税限度額」という。) 以下である場合

　　その相続人の取得した生命保険金等又は退職手当金等の金額

　② ①の合計額がその非課税限度額を超える場合

　　次の算式により算出した金額

　　《算 式》

$$
\text{非課税限度額} \times \frac{\text{その相続人の取得した生命保険金等又は退職手当金等の合計額}}{\text{①の合計額}}
$$

## 2. 課税される場合 (法12②)  重要度〇

1(3)の財産を取得した者がその財産を取得した日から2年を経過した日において、なおその財産をその公益を目的とする事業の用に供していない場合においては、その財産の価額は、相続税の課税価格に算入する。

（MEMO）

**3−3** 国等に対して相続財産を贈与した場合等の
相続税の非課税等

---

## 1. 国等に対して相続財産を贈与した場合等の相続税の非課税等 | 重要度◎

(1) **国等へ贈与した場合**（措法70①⑩）

相続又は遺贈により財産を取得した者が、その取得した財産を申告期限までに国もしくは地方公共団体、特定の公益社団法人等又は認定特定非営利活動法人に贈与をした場合には、その贈与によりその贈与をした者又はその親族その他これらの者と特別の関係がある者の相続税又は贈与税の負担が不当に減少する結果となると認められる場合を除き、その贈与をした財産の価額は、相続税の課税価格の計算の基礎に算入しない。

(2) **特定の特定公益信託へ支出した場合**（措法70③）

相続又は遺贈により財産を取得した者が、その取得した財産に属する金銭を申告期限までに特定の特定公益信託の信託財産とするために支出した場合には、その支出によりその支出をした者又はその親族その他これらの者と特別の関係がある者の相続税又は贈与税の負担が不当に減少する結果となると認められる場合を除き、その金銭の額は、相続税の課税価格の計算の基礎に算入しない。

## 2. 課税される場合 | 重要度○

(1) **特定の公益社団法人等へ贈与した場合**（措法70②⑩）

特定の公益社団法人等又は認定特定非営利活動法人で1(1)の贈与を受けたものが、その贈与があった日から2年を経過した日までに特定の公益社団法人等もしくは認定特定非営利活動法人に該当しないこととなった場合又はその贈与により取得した財産を同日においてなおその公益を目的とする事業の用に供していない場合には、1(1)の規定にかかわらず、その財産の価額は、相続税の課税価格の計算の基礎に算入する。

(2) **特定の特定公益信託へ支出した場合**（措法70④）

特定の特定公益信託で1(2)の金銭を受け入れたものがその受入れの日から2年を経過した日までに特定の特定公益信託に該当しないこととなった場合には、1(2)の規定にかかわらず、その金銭の額は、相続税の課税価格の計算の基礎に算入する。

## 3．手　続 （措法70⑤⑩）　　　　重要度◎

　1の規定は、相続税の期限内申告書（義務的修正申告書を含む。）に、⑴の事項を記載し、かつ、⑵の書類を添付しない場合には、適用しない。

　⑴　この規定の適用を受けようとする旨

　⑵　贈与又は支出をした財産の明細書その他一定の書類

## 4．期限後申告及び修正申告の特則　　　　重要度◎

⑴　**修正申告の特則** （措法70②④⑥⑩）

　　1の規定の適用を受けて相続税の期限内申告書を提出した者（相続人及び包括受遺者を含む。）は、その規定の適用を受けた財産について2の事由が生じた場合には、その2年を経過した日の翌日から4月以内に修正申告書を提出し、かつ、その期限内にその修正申告書の提出により納付すべき税額を納付しなければならない。

⑵　**期限後申告の特則** （措法70②④⑦⑩）

　　1の規定の適用を受けた者は、その規定の適用を受けた財産について2の事由が生じたことに伴いその財産の価額を相続税の課税価格に算入すべきこととなったことにより、相続税の期限内申告書を提出すべきこととなった場合には、その2年を経過した日の翌日から4月以内に期限後申告書を提出し、かつ、その期限内にその期限後申告書の提出により納付すべき税額を納付しなければならない。

⑶　**国税通則法の適用** （措法70⑨⑩）

　　⑴及び⑵の修正申告書又は期限後申告書に対する国税通則法の適用については、期限内申告書とみなす。

## 5. 用語の意義

(1) **特定の公益社団法人等**（措法70①）

　　公益社団法人又は公益財団法人その他の公益を目的とする事業を行う法人のうち、教育もしくは科学の振興、文化の向上、社会福祉への貢献その他公益の増進に著しく寄与するものとして一定のものをいう。

(2) **認定特定非営利活動法人**（措法66の11の2③）

　　特定非営利活動促進法に規定する特定非営利活動法人のうち、その運営組織及び事業活動が適正であること並びに公益の増進に資することにつき一定の要件を満たすものとして一定の認定を受けたものをいう。

(3) **特定公益信託**（措法70③）

　　公益信託ニ関スル法律に規定する公益信託で信託の終了の時における信託財産がその信託の委託者に帰属しないこと及びその信託事務の実施につき一定の要件を満たすものであることについて一定の証明がされたものをいう。

(4) **特定の特定公益信託**（措法70③）

　　(3)のうち、その目的が教育又は科学の振興、文化の向上、社会福祉への貢献その他公益の増進に著しく寄与するものとして一定のものをいう。

(MEMO)

# 3-4　債務控除

> ## 1．債務控除 　　　　　　　　　　　　　　　　　重要度◎

**(1) 無制限納税義務者等**（法13①、21の15②、21の16②）

　　相続又は遺贈（包括遺贈及び被相続人からの相続人に対する遺贈に限る。以下1及び3において同じ。）により財産を取得した者が居住無制限納税義務者もしくは非居住無制限納税義務者又は特定納税義務者（相続開始の時において法施行地に住所を有する者に限る。）である場合においては、その相続又は遺贈により取得した財産及び相続時精算課税適用財産については、課税価格に算入すべき価額は、相続時精算課税に係る贈与税の基礎控除の規定による控除後のその財産の価額から次のものの金額のうちその者の負担に属する部分の金額を控除した金額による。

① 　被相続人の債務で相続開始の際現に存するもの（公租公課を含む。）

② 　被相続人に係る葬式費用

**(2) 制限納税義務者等**（法13②、21の15②、21の16②）

　　相続又は遺贈により財産を取得した者が居住制限納税義務者もしくは非居住制限納税義務者又は特定納税義務者（相続開始の時において法施行地に住所を有しない者に限る。）である場合においては、その相続又は遺贈により取得した財産で法施行地にあるもの及び相続時精算課税適用財産については、課税価格に算入すべき価額は、相続時精算課税に係る贈与税の基礎控除の規定による控除後のその財産の価額から被相続人の債務で次のものの金額のうちその者の負担に属する部分の金額を控除した金額による。

① 　その財産に係る公租公課

② 　その財産を目的とする留置権等で担保される債務

③ 　①、②の債務を除くほか、その財産の取得等のために生じた債務

④ 　その財産に関する贈与の義務

⑤ 　①から④の債務を除くほか、被相続人が死亡の際法施行地に営業所又は事業所を有していた場合においては、その営業上又は事業上の債務

## 2．控除が認められない債務 <small>(法13③)</small>　　重要度△

　次の財産の取得等のために生じた債務の金額は、1の規定による控除金額に算入しない。

　ただし、⑵の財産の価額を課税価格に算入した場合においては、この限りでない。

⑴　墓所、霊びょう及び祭具並びにこれらに準ずるもの

⑵　宗教、慈善、学術その他公益を目的とする事業を行う者で一定のものが相続又は遺贈により取得した財産でその公益を目的とする事業の用に供することが確実なもの

## 3．特別寄与料 <small>(法13④、21の15②、21の16②)</small>　　重要度△

　特別寄与料の額が特別寄与者の課税価格に算入される場合においては、その特別寄与料を支払うべき相続人が相続又は遺贈により取得した財産及び相続時精算課税適用財産については、その相続人の課税価格に算入すべき価額は、相続時精算課税に係る贈与税の基礎控除の規定による控除後のその財産の価額からその特別寄与料の額のうちその者の負担に属する部分の金額を控除した金額による。

## 4．控除すべき債務　　重要度△

⑴　**確実な債務** <small>(法14①)</small>

　　1の規定により控除すべき債務は、確実と認められるものに限る。

⑵　**公租公課** <small>(法14②)</small>

　　1の規定により控除すべき公租公課の金額は、被相続人の死亡の際債務の確定しているものの金額のほか、被相続人に係る所得税等その他の公租公課の額で一定のものを含むものとする。

⑶　**国外転出時課税等の特例に係る所得税額等** <small>(法14③)</small>

　　⑵の債務の確定している公租公課の金額には、被相続人に係る所得税法に規定する国外転出時課税等の特例に係る納税猶予分の所得税額を含まない。

　　ただし、その被相続人の相続人（包括受遺者を含む。）が納付することとなったその納税猶予分の所得税等の額については、この限りでない。

## 3−5　未分割遺産に対する課税

### 未分割遺産に対する課税 (法55)　　　重要度◎

　相続税について申告書を提出する場合又は更正もしくは決定をする場合において、相続又は包括遺贈により取得した財産の全部又は一部が共同相続人又は包括受遺者によってまだ分割されていないときは、その分割されていない財産については、各共同相続人又は包括受遺者が民法（寄与分を除く。）の規定による相続分又は包括遺贈の割合に従ってその財産を取得したものとしてその課税価格を計算するものとする。

　ただし、その後においてその財産の分割があり、その共同相続人又は包括受遺者がその分割により取得した財産に係る課税価格がその相続分又は包括遺贈の割合に従って計算された課税価格と異なることとなった場合においては、その分割により取得した財産に係る課税価格を基礎として、納税義務者において申告書を提出し、もしくは更正の請求をし、又は税務署長において更正もしくは決定をすることを妨げない。

（MEMO）

# 3-6 小規模宅地等についての相続税の課税価格の計算の特例

## 1．小規模宅地等についての相続税の課税価格の計算の特例
（措法69の4①）　　　　重要度◎

　　個人が相続又は遺贈により取得した財産のうちに、その相続の開始の直前において、被相続人又はその被相続人と生計を一にしていたその被相続人の親族の事業（事業に準ずるものとして一定のものを含む。）の用又は居住の用（注1）に供されていた宅地等で一定の建物又は構築物の敷地の用に供されているもののうち一定のもの（特定事業用宅地等、特定居住用宅地等、特定同族会社事業用宅地等及び貸付事業用宅地等に限る。以下「特例対象宅地等」という。）がある場合には、その相続又は遺贈により財産を取得した者に係る全ての特例対象宅地等のうち、その個人が取得をした特例対象宅地等又はその一部でこの規定の適用を受けるものとして選択をしたもの（以下「選択特例対象宅地等」という。）については、限度面積要件を満たす場合のその選択特例対象宅地等（以下「小規模宅地等」という。）に限り、相続税の課税価格に算入すべき価額は、その小規模宅地等の価額に次の区分に応じそれぞれの割合を乗じて計算した金額とする。

　(1)　特定事業用宅地等、特定居住用宅地等及び特定同族会社事業用宅地等である小規模宅地等・・・・・・・・・・・・・・・・・・・・・・・・・・・・・・・・・・・・・・・・・・・・ 100分の20

　(2)　貸付事業用宅地等である小規模宅地等・・・・・・・・・・・・・・・・・・・・・・ 100分の50

## 2．限度面積要件 （措法69の4②）　　　　重要度△

　　1に規定する限度面積要件は、次の選択特例対象宅地等の区分に応じ、それぞれの要件とする。

　(1)　特定事業用宅地等又は特定同族会社事業用宅地等（以下「特定事業用等宅地等」という。）・・・・・・・・・・・・・・・・・・・・・・・・・・・・ 面積の合計が400㎡以下

　(2)　特定居住用宅地等・・・・・・・・・・・・・・・・・・・・・・・・・・・・・ 面積の合計が330㎡以下

　(3)　貸付事業用宅地等・・・・・・・・・・・・・・・・・・・・・・ 次の面積の合計が200㎡以下

　　①　特定事業用等宅地等の面積の合計に400分の200を乗じて得た面積

　　②　特定居住用宅地等の面積の合計に330分の200を乗じて得た面積

　　③　貸付事業用宅地等の面積の合計

## 3．特例対象宅地等が未分割である場合 （措法69の4④）　重要度○

　1の規定は、申告期限までに分割されていない特例対象宅地等については、適用しない。

　ただし、その分割されていない特例対象宅地等が申告期限から3年以内（注2）に分割された場合（特定計画山林の特例の規定の適用を受けている場合を除く。）には、その分割されたその特例対象宅地等については、この限りでない。

## 4．適用関係 （措法69の4⑥）　重要度○

　1の規定は、個人の事業用資産についての贈与税の納税猶予及び免除の規定の適用に係る贈与者から相続又は遺贈により取得（個人の事業用資産の贈与者が死亡した場合の相続税の課税の特例の規定により相続又は遺贈により取得したとみなされる場合の取得を含む。）をした特定事業用宅地等及び個人の事業用資産についての相続税の納税猶予及び免除の規定の適用に係る被相続人から相続又は遺贈により取得をした特定事業用宅地等については、適用しない。

## 5．手　続 （措法69の4⑦⑧）　重要度◎

⑴　1の規定は、相続税の期限内申告書（期限後申告書及び修正申告書を含む。）に①の事項を記載し、②の書類の添付がある場合に限り、適用する。

①　この規定の適用を受けようとする旨

②　計算に関する明細書その他一定の書類

⑵　⑴の規定の適用については、税務署長がやむを得ない事情があると認めるときは、この限りでない。

## 6．相続税の更正の請求の特則 （措法69の4⑤）　重要度◎

　相続税について申告書を提出した者又は決定を受けた者は、申告期限までに分割されていない特例対象宅地等が申告期限から3年以内（注2）に分割された場合その他一定の場合について、その分割が行われた時以後において1の規定を適用して計算した相続税額がその時前において1の規定を適用して計算した相続税額と異なることとなったこと（相続税の課税価格が異なることとなった場合を除く。）により課税価格及び相続税額が過大となったときは、それぞれの事由が生じたことを知った日の翌日から4月以内に限り、納税地の所轄税務署長に対し、更正の請求をすることができる。

テーマ
3

(1) **特定事業用宅地等**（措法69の4③一）

　　被相続人又はその被相続人と生計を一にしていたその被相続人の親族（以下「被相続人等」という。）の事業（不動産貸付業等を除く。以下(1)及び(3)において同じ。）の用に供されていた宅地等で、次の要件のいずれかを満たすその被相続人の親族（その親族から相続又は遺贈によりその宅地等を取得したその親族の相続人を含む。以下①及び(4)（②を除く。）において同じ。）が相続又は遺贈により取得したもの（相続開始前3年以内に新たに事業の用に供された宅地等（一定の規模以上の事業を行っていた被相続人等のその事業の用に供されたものを除く。）を除く。）をいう。

① 　その親族が、相続開始時から申告期限までの間にその宅地等の上で営まれていた被相続人の事業を引き継ぎ、申告期限まで引き続きその宅地等を有し、かつ、その事業を営んでいること。

② 　その親族がその被相続人と生計を一にしていた者であって、相続開始時から申告期限（その親族が申告期限前に死亡した場合には、その死亡の日。(4)①を除き、以下同じ。）まで引き続きその宅地等を有し、かつ、相続開始前から申告期限まで引き続きその宅地等を自己の事業の用に供していること。

(2) **特定居住用宅地等**（措法69の4③二）

　　被相続人等の居住の用（注1）に供されていた宅地等（その宅地等が二以上ある場合には、一定の宅地等に限る。）で、その被相続人の配偶者又は次の要件のいずれかを満たすその被相続人の親族（その被相続人の配偶者を除く。以下(2)において同じ。）が相続又は遺贈により取得したものをいう。

① 　その親族が相続開始の直前においてその宅地等の上に存するその被相続人の居住の用に供されていた一棟の建物（その被相続人、その被相続人の配偶者又はその親族の居住の用に供されていた一定の部分に限る。）に居住していた者であって、相続開始時から申告期限まで引き続きその宅地等を有し、かつ、その建物に居住していること。

② 　その親族（その被相続人の居住の用に供されていた宅地等を取得した者で一定のものに限る。）が次の要件の全てを満たすこと（その被相続人の配偶者又は相続開始の直前においてその被相続人の居住の用に供されていた家屋に居住していた親族で一定の者がいない場合に限る。）。

　　イ　相続開始前３年以内に法施行地にあるその親族、その親族の配偶者、
　　　その親族の３親等内の親族又はその親族と特別の関係がある法人として
　　　一定の法人が所有する家屋（相続開始の直前においてその被相続人の居住の
　　　用に供されていた家屋を除く。）に居住したことがないこと。
　　ロ　その被相続人の相続開始時にその親族が居住している家屋を相続開始
　　　前のいずれの時においても所有したことがないこと。
　　ハ　相続開始時から申告期限まで引き続きその宅地等を有していること。
　③　その親族がその被相続人と生計を一にしていた者であって、相続開始時
　　から申告期限まで引き続きその宅地等を有し、かつ、相続開始前から申告
　　期限まで引き続きその宅地等を自己の居住の用に供していること。

⑶　**特定同族会社事業用宅地等**（措法69の４③三、措規23の２⑤）

　　相続開始の直前に被相続人及びその被相続人の親族その他その被相続人と
　特別の関係がある者が有する株式の総数又は出資の総額がその株式又は出資
　に係る法人の発行済株式の総数又は出資の総額の10分の５を超える法人の事
　業の用に供されていた宅地等で、その宅地等を相続又は遺贈により取得した
　その被相続人の親族（申告期限において、その法人の役員である者に限る。）が相
　続開始時から申告期限まで引き続き有し、かつ、申告期限まで引き続きその
　法人の事業の用に供されているものをいう。

⑷　**貸付事業用宅地等**（措法69の４③四）

　　被相続人等の事業（不動産貸付業等に限る。以下「貸付事業」という。）の用に
　供されていた宅地等で、次の要件のいずれかを満たすその被相続人の親族が
　相続又は遺贈により取得したもの（⑶及び相続開始前３年以内に新たに貸付事業
　の用に供された宅地等（相続開始の日まで３年を超えて引き続き一定の貸付事業を行
　っていた被相続人等のその貸付事業の用に供されたものを除く。）を除く。）をいう。
　①　その親族が、相続開始時から申告期限までの間にその宅地等に係る被相
　　続人の貸付事業を引き継ぎ、申告期限まで引き続きその宅地等を有し、か
　　つ、その貸付事業の用に供していること。
　②　その親族がその被相続人と生計を一にしていた者であって、相続開始時
　　から申告期限まで引き続きその宅地等を有し、かつ、相続開始前から申告
　　期限まで引き続きその宅地等を自己の貸付事業の用に供していること。

（注1）　居住の用に供することができない事由として一定の事由により相続の開始の直前において被相続人の居住の用に供されていなかった場合（一定の用途に供されている場合を除く。）におけるその事由により居住の用に供されなくなる直前のその被相続人の居住の用を含む。

（注2）　その期間が経過するまでの間にその特例対象宅地等が分割されなかったことにつき、一定のやむを得ない事情がある場合において、納税地の所轄税務署長の承認を受けたときは、その特例対象宅地等の分割ができることとなった日の翌日から4月以内

（MEMO）

# 3-7 特定計画山林についての相続税の課税価格の計算の特例

## 1．特定計画山林についての相続税の課税価格の計算の特例 （措法69の5①） 重要度◎

　　特定計画山林相続人等が、相続又は遺贈（被相続人からの相続時精算課税適用財産に係る贈与を含む。）により取得した特定計画山林でこの規定の適用を受けるものとして選択をしたもの（以下「選択特定計画山林」という。）について、その相続の開始の時から申告期限まで引き続きその選択特定計画山林の全てを有している場合等には、相続税の課税価格（相続時精算課税適用財産がある場合には、その財産の価額を加算した後の相続税の課税価格）に算入すべき価額は、その選択特定計画山林の価額（相続時精算課税適用財産に係る贈与により取得したものである場合には、相続時精算課税に係る贈与税の基礎控除の規定による控除をした残額）に100分の95を乗じて計算した金額とする。

## 2．特定計画山林が未分割である場合 （措法69の5③） 重要度○

　　1の規定は、申告期限までに分割されていない特定計画山林については、適用しない。

　　ただし、その分割されていない特定計画山林が申告期限から3年以内（注）に分割された場合には、その分割されたその特定計画山林については、この限りでない。

## 3．小規模宅地等の特例との適用関係 重要度△

(1)　原　　則 （措法69の5④）

　　1の規定は、被相続人から相続又は遺贈により財産を取得した者が小規模宅地等の特例の規定の適用を受けている場合には、適用しない。

(2)　特　　例 （措法69の5⑤）

　　選択宅地等面積（小規模宅地等として選択がされた宅地等の面積で一定のものの合計をいう。以下同じ。）が200㎡未満である場合において、特定森林経営計画対象山林（特定受贈森林経営計画対象山林を含む。以下(2)において同じ。）を選択特定計画山林として選択をするときは、次の算式で計算した価額に達するまでの部分について、1の規定の適用を受けることができる。

《算　式》

$$\text{その特定森林経営計画対象山林の価額} \times \frac{200\text{㎡} - \text{選択宅地等面積}}{200\text{㎡}}$$

## 4．手　続 （措法69の5⑦〜⑪）　　　　　　　　　　　　重要度◎

(1)　1の規定は、相続税の期限内申告書（期限後申告書及び修正申告書を含む。）
に①の事項を記載し、②の書類の添付がある場合に限り、適用する。

①　この規定の適用を受けようとする旨

②　計算に関する明細書その他一定の書類

(2)　特定贈与者からの贈与（相続時精算課税適用財産に係る贈与に限る。）により取
得をした特定受贈森林経営計画対象山林について1の規定の適用を受けよう
とする特定計画山林相続人等は、贈与税の期限内申告書の提出期間内に一定
の書類を納税地の所轄税務署長に提出しなければならない。

(3)　(2)の場合において、(2)の期間内に、(2)の書類が納税地の所轄税務署長に提
出されていないときは、その特定受贈森林経営計画対象山林については、1
の規定の適用を受けることができない。

(4)　1の規定は、(1)の規定にかかわらず、申告期限から2月以内に一定の書類
の提出がない場合には、適用しない。

(5)　(1)又は(4)の規定の適用については、税務署長がやむを得ない事情があると
認めるときは、この限りでない。

## 5．相続税の更正の請求の特則 （措法69の5⑥）　　　　　重要度◎

　相続税について申告書を提出した者又は決定を受けた者は、申告期限までに分
割されていない特定計画山林が申告期限から3年以内（注）に分割された場合そ
の他一定の場合について、その分割が行われた時以後において1の規定を適用し
て計算した相続税額がその時前において1の規定を適用して計算した相続税額と
異なることとなったこと（相続税の課税価格が異なることとなった場合を除く。）によ
り課税価格及び相続税額が過大となったときは、それぞれの事由が生じたことを
知った日の翌日から4月以内に限り、納税地の所轄税務署長に対し、更正の請求
をすることができる。

　　　　　　　　　　　　　　　　　　　重要度△

(1) **特定森林経営計画対象山林**（措法69の５②一）

　　被相続人が相続開始の直前に有していた立木又は土地等のうちその相続開始の前に市町村長等の認定を受けた森林経営計画が定められている区域内に存するものをいう。

(2) **特定受贈森林経営計画対象山林**（措法69の５②二）

　　被相続人である特定贈与者が贈与をした立木又は土地等のうちその贈与の前に市町村長等の認定を受けた森林経営計画が定められている区域内に存するものをいう。

(3) **特定計画山林相続人等**（措法69の５②三）

　　①又は②の者をいう。

　① 相続又は遺贈により特定森林経営計画対象山林を取得した個人でイ及びロの要件を満たすもの

　　イ 被相続人の親族であること。

　　ロ 相続開始の時から申告期限まで引き続き選択特定計画山林である特定森林経営計画対象山林について市町村長等の認定を受けた森林経営計画に基づき施業を行っていること。

　② 贈与により特定受贈森林経営計画対象山林を取得した個人でイ及びロの要件を満たすもの

　　イ 相続時精算課税適用者であること。

　　ロ その贈与の時から相続税の申告期限まで引き続き選択特定計画山林である特定受贈森林経営計画対象山林について市町村長等の認定を受けた森林経営計画に基づき施業を行っていること。

(4) **特定計画山林**（措法69の５②四）

　　次の①又は②の立木又は土地等をいう。

　① 相続開始前に受けていた市町村長等の認定（特定森林経営計画対象山林のうち申告期限において効力を有するものに限る。以下②において同じ。）に係る森林経営計画その他これに準ずるものとして一定のものが定められている区域内に存する特定森林経営計画対象山林

　② 贈与前に受けていた市町村長等の認定に係る森林経営計画その他これに準ずるものとして一定のものが定められている区域内に存する特定受贈森林経営計画対象山林

（注）その期間が経過するまでの間にその特定計画山林が分割されなかったことにつき、一定のやむを得ない事情がある場合において、納税地の所轄税務署長の承認を受けたときは、その特定計画山林の分割ができることとなった日の翌日から4月以内

# 3-8　遺産に係る基礎控除及び相続税の総額

## 1．遺産に係る基礎控除 （法15①）　　重要度◎

　相続税の総額を計算する場合においては、同一の被相続人から相続又は遺贈により財産を取得した全ての者に係る相続税の課税価格（注）の合計額から、3,000万円と600万円にその被相続人の法定相続人の数を乗じて算出した金額との合計額を控除する。

## 2．法定相続人の数　　重要度◎

### (1)　法定相続人の数 （法15②）

　　法定相続人の数は、被相続人の法定相続人の数（その被相続人に養子がある場合の法定相続人の数に算入する養子の数は、次の区分に応じそれぞれの養子の数に限るものとし、相続の放棄があった場合には、その放棄がなかったものとした場合における相続人の数とする。）とする。

①　その被相続人に実子がある場合又はその被相続人に実子がなく、養子の数が1人である場合・・・・・・・・・・・・・・・・・・・・・・・・・・・・・・・・・・・・・・・・・・・・1人

②　その被相続人に実子がなく、養子の数が2人以上である場合・・・・・2人

### (2)　実子とみなされる者 （法15③）

　　(1)の規定の適用については、次の者は実子とみなす。

①　民法に規定する特別養子縁組による養子となった者、その被相続人の配偶者の実子でその被相続人の養子となった者等

②　実子もしくは養子又はその直系卑属が相続開始以前に死亡し、又は相続権を失ったため法定相続人となったその者の直系卑属

## 3．相続税の総額 （法16）　　重要度◎

　相続税の総額は、同一の被相続人から相続又は遺贈により財産を取得した全ての者に係る相続税の課税価格（注）の合計額から遺産に係る基礎控除額を控除した残額をその被相続人の法定相続人の数に応じた相続人が法定相続分及び代襲相続分に応じて取得したものとした場合におけるその各取得金額につきそれぞれ相続税の超過累進税率を乗じて計算した金額を合計した金額とする。

## ４．法定相続人の数に算入される養子の数の否認 （法63）　重要度△

　　２(1)の場合においてそれぞれの養子の数を法定相続人の数に算入することが、相続税の負担を不当に減少させる結果となると認められる場合には、税務署長は、相続税の更正又は決定に際し、税務署長の認めるところにより、その養子の数をその法定相続人の数に算入しないで相続税の課税価格（注）及び相続税額を計算することができる。

（注）被相続人からの相続の開始前３年以内の贈与財産及び相続時精算課税適用財産の価額を相続税の課税価格に加算した後の相続税の課税価格とみなされた金額

テーマ
・・・・・
3

# 3−9　相続税額の加算

| 相続税額の加算 （法18、21の15②、21の16②） | 重要度◎ |

⑴　相続又は遺贈により財産を取得した者が被相続人の一親等の血族（代襲して相続人となったその被相続人の直系卑属を含む。）及び配偶者以外の者である場合においては、その者に係る相続税額は、算出相続税額にその100分の20に相当する金額を加算した金額とする。

　　ただし、相続時精算課税適用者が贈与により財産を取得した時においてその被相続人の一親等の血族であった場合には、その財産に対応する相続税額として一定のものについては、この限りでない。

⑵　⑴の一親等の血族には、被相続人の直系卑属がその被相続人の養子となっている場合を含まないものとする。

　　ただし、代襲して相続人となっている場合は、この限りでない。

（MEMO）

## 3-10　相続開始前3年以内に贈与があった場合の相続税額

**1．生前贈与加算**（法19①、21の15②、21の16②）

　　　　　　　　　　　　　　　　　　　　　　　　　　　　　**重要度◎**

　相続又は遺贈により財産を取得した者がその相続の開始前3年以内に被相続人から贈与により財産を取得したことがある場合においては、その者については、その贈与により取得した財産（その年分の贈与税の課税価格計算の基礎に算入されるもの（特定贈与財産及び相続時精算課税適用財産を除く。）に限る。以下「加算対象贈与財産」という。）の価額を相続税の課税価格に加算した価額を相続税の課税価格とみなす。

**2．贈与税額控除**（法19①、令4①、5の5③）

　　　　　　　　　　　　　　　　　　　　　　　　　　　　　**重要度◎**

　1の場合において、加算対象贈与財産の取得につき課せられた贈与税があるときは、算出相続税額（相続税額の加算の規定を適用した後の金額）から次の算式で算出した金額を控除した金額をもって、その納付すべき相続税額とする。

《算　式》

$$A \times \frac{C}{B}$$

A＝その年分の贈与税額（在外財産に対する贈与税額の控除適用前の税額とし、附帯税に相当する税額及び相続時精算課税に係る贈与税額を除く。）

B＝その年分の贈与税の課税価格（相続時精算課税に係る課税価格を除く。）に算入された財産の価額の合計額

C＝1の規定により相続税の課税価格に加算された贈与財産の価額

## ３．特定贈与財産 （法19②、令４②）　　　　　　　　　　重要度○

　　特定贈与財産とは、贈与税の配偶者控除に規定する婚姻期間が20年以上である
配偶者に該当する被相続人からの贈与によりその被相続人の配偶者が取得した居
住用不動産又は金銭で、次の区分に応じ、それぞれの部分をいう。

(1)　その贈与が相続の開始の年の前年以前にされた場合で、その配偶者が贈与
　　税の配偶者控除の規定の適用を受けているとき

　　　……贈与税の配偶者控除の規定により控除された金額に相当する部分

(2)　その贈与が相続の開始の年においてされた場合で、その配偶者がその被相続人
　　からの贈与について既に贈与税の配偶者控除の規定の適用を受けた者でないとき
　　（その配偶者が、相続税の期限内申告書（期限後申告書及び修正申告書を含む。）又は更正
　　請求書に、一定の事項を記載し、一定の書類を添付して、これを提出した場合に限る。）

　　　……贈与税の配偶者控除の規定の適用があるものとした場合に、控除され
　　　ることとなる金額に相当する部分

テーマ
3

## 3-11　配偶者に対する相続税額の軽減

### 1．配偶者に対する相続税額の軽減 （法19の2①）　　　重要度◎

　　被相続人の配偶者がその被相続人からの相続又は遺贈により財産を取得した場合には、その配偶者については、⑴の金額から⑵の金額を控除した残額があるときは、その残額をもってその納付すべき相続税額とし、⑴の金額が⑵の金額以下であるときは、その納付すべき相続税額は、ないものとする。

⑴　その配偶者に係る算出相続税額（贈与税額控除の規定を適用した後の金額）

⑵　次の算式により算出した金額

《算　式》

$$相続税の総額 \times \frac{次の①又は②の金額のうちいずれか少ない金額}{相続税の課税価格（注1）の合計額}$$

①　相続税の課税価格（注1）の合計額にその配偶者の法定相続分（相続の放棄があった場合には、その放棄がなかったものとした場合における相続分）を乗じて得た金額に相当する金額（1億6,000万円に満たない場合には、1億6,000万円）

②　その配偶者に係る相続税の課税価格（注1）に相当する金額

### 2．遺産が未分割である場合 （法19の2②）　　　重要度○

　　申告期限までに、相続又は遺贈により取得した財産の全部又は一部が分割されていない場合における1の規定の適用については、その分割されていない財産は、1⑵②の課税価格の計算の基礎とされる財産に含まれないものとする。

　　ただし、その分割されていない財産が申告期限から3年以内（注2）に分割された場合には、その分割された財産については、この限りでない。

### 3．手　続 （法19の2③④）　　　重要度◎

⑴　1の規定は、相続税の期限内申告書（期限後申告書及び修正申告書を含む。以下同じ。）又は更正請求書に、次の事項を記載した書類その他一定の書類の添付がある場合に限り、適用する。

①　この規定の適用を受ける旨

②　1の金額の計算に関する明細

⑵　⑴の規定の適用については、税務署長がやむを得ない事情があると認めるときは、この限りでない。

## 4．隠ぺい仮装行為があった場合 （法19の2⑤）　　重要度△

　　1の相続又は遺贈により財産を取得した者が、隠ぺい仮装行為に基づき、相続
税の期限内申告書を提出しており、又はこれを提出していなかった場合において、
その相続税についての調査があったことにより更正又は決定があるべきことを予
知して期限後申告書又は修正申告書を提出するときは、その期限後申告書又は修
正申告書に係る相続税額に係る1の規定の適用については、1(2)の相続税の総額、
相続税の課税価格の合計額及び1(2)②の相続税の課税価格には、配偶者に係る隠
ぺい仮装行為による事実に基づく金額に相当する金額を含まないものとする。

（注1）　被相続人からの相続の開始前3年以内の贈与財産及び相続時精算課税適用財産の価
　　　　額を相続税の課税価格に加算した後の相続税の課税価格とみなされた金額

（注2）　その期間が経過するまでの間にその財産が分割されなかったことにつき、一定のや
　　　　むを得ない事情がある場合において、納税地の所轄税務署長の承認を受けたときは、
　　　　その財産の分割ができることとなった日の翌日から4月以内

# 3-12　未成年者控除

## 1．未成年者控除 （法19の3①）　　重要度◎

　　相続又は遺贈により財産を取得した者（居住制限納税義務者又は非居住制限納税義務者を除く。）が被相続人の法定相続人に該当し、かつ、18歳未満の者である場合においては、その者については、算出相続税額（相続税額の加算から配偶者に対する相続税額の軽減までの規定を適用した後の金額。以下同じ。）から次の算式で算出した金額を控除した金額をもって、その納付すべき相続税額とする。

《算　式》

10万円×その者が18歳に達するまでの年数（1年未満切上）

## 2．扶養義務者から控除する場合 （法19の3②）　　重要度△

　　1の規定により控除を受けることができる金額がその控除を受ける者の算出相続税額を超える場合においては、その超える部分の金額は、その者の扶養義務者の算出相続税額から控除し、その控除後の金額をもって、その扶養義務者の納付すべき相続税額とする。

## 3．既に控除を受けている場合 （法19の3③）　　重要度△

　　1の規定に該当する者がその者又はその扶養義務者について既に1、2の規定による控除を受けたことがある場合においては、その者又はその扶養義務者が控除を受けることができる金額は、既に控除を受けた金額の合計額が1の規定による控除を受けることができる金額（2回以上控除を受けた場合には、最初に相続又は遺贈により財産を取得した際に控除を受けることができる金額）に満たなかった場合におけるその満たなかった部分の金額の範囲内に限る。

（MEMO）

# 3-13 障害者控除

## 1. 障害者控除 （法19の4①、21の16②） 重要度◎

相続又は遺贈により財産を取得した者（非居住無制限納税義務者、居住制限納税義務者、非居住制限納税義務者及び特定納税義務者（相続開始の時において法施行地に住所を有しない者に限る。）を除く。）が被相続人の法定相続人に該当し、かつ、障害者である場合には、その者については、算出相続税額（相続税額の加算から未成年者控除までの規定を適用した後の金額。以下同じ。）から次の算式で算出した金額を控除した金額をもって、その納付すべき相続税額とする。

《算 式》

$$10万円 \begin{bmatrix} 特別障害者である \\ 場合には、20万円 \end{bmatrix} × その者が85歳に達するまでの年数（1年未満切上）$$

## 2. 扶養義務者から控除する場合 （法19の4③） 重要度△

1の規定により控除を受けることができる金額がその控除を受ける者の算出相続税額を超える場合においては、その超える部分の金額は、その者の扶養義務者の算出相続税額から控除し、その控除後の金額をもって、その扶養義務者の納付すべき相続税額とする。

## 3. 既に控除を受けている場合 （法19の4③） 重要度△

1の規定に該当する者がその者又はその扶養義務者について既に1、2の規定による控除を受けたことがある場合においては、その者又はその扶養義務者が控除を受けることができる金額は、既に控除を受けた金額の合計額が1の規定による控除を受けることができる金額（2回以上控除を受けた場合には、最初に相続又は遺贈により財産を取得した際に控除を受けることができる金額）に満たなかった場合におけるその満たなかった部分の金額の範囲内に限る。

（MEMO）

## 3-14　相次相続控除

| 相次相続控除（法20、21の15②） | 重要度◎ |
| --- | --- |

　相続（被相続人からの相続人に対する遺贈を含む。以下同じ。）により財産を取得した場合において、その相続（以下「第2次相続」という。）に係る被相続人が第2次相続の開始前10年以内に開始した相続（以下「第1次相続」という。）により財産（注1）を取得したことがあるときは、その被相続人から相続により財産を取得した者については、算出相続税額（相続税額の加算から障害者控除までの規定を適用した後の金額）から、次の算式で算出した金額を控除した金額をもって、その納付すべき相続税額とする。

《算　式》

$$A \times \frac{C}{B-A} \left( \frac{100}{100} \text{を超える場合には} \frac{100}{100} \right) \times \frac{D}{C} \times \frac{10-E}{10}$$

A＝第2次相続に係る被相続人が第1次相続により取得した財産（注1）につき課せられた相続税額（附帯税に相当する相続税額を除く。）

B＝第2次相続に係る被相続人が第1次相続により取得した財産（注1）の価額（相続税の課税価格計算の基礎に算入された部分に限る。）

C＝第2次相続に係る被相続人から相続又は遺贈（被相続人からの相続人に対する遺贈を除く。）により財産を取得したすべての者がこれらの事由により取得した財産（注2）の価額（相続税の課税価格に算入される部分に限る。）の合計額

D＝第2次相続に係る被相続人から相続により取得した財産（注2）の価額（相続税の課税価格に算入される部分に限る。）

E＝第1次相続開始の時から第2次相続開始の時までの期間に相当する年数（1年未満切捨）

（注1）第1次相続に係る被相続人からの相続時精算課税適用財産を含む。

（注2）第2次相続に係る被相続人からの相続時精算課税適用財産を含む。

（MEMO）

# 3-15　在外財産に対する相続税額の控除

| 在外財産に対する相続税額の控除 （法20の2、令5の5②） | 重要度◎ |

相続又は遺贈（相続開始の年において被相続人から受けた贈与を含む。以下同じ。）により法施行地外にある財産を取得した場合において、その財産についてその地の法令により相続税に相当する税が課せられたときは、その財産を取得した者については、算出相続税額（相続税額の加算から相次相続控除までの規定を適用した後の金額。以下同じ。）からその課せられた税額に相当する金額を控除した金額をもって、その納付すべき相続税額とする。

ただし、その控除すべき金額が、次の算式により算出した金額を超える場合においては、その超える部分の金額については、その控除をしない。

《算　式》

$$算出相続税額 \times \frac{法施行地外にある財産の価額}{その相続又は遺贈により取得した財産（相続時精算課税適用財産を含む。）の価額のうち課税価格計算の基礎に算入された部分}$$

（MEMO）

（MEMO）

# 贈与税の課税価格・税額計算

# 4-1　贈与税の課税価格

## 贈与税の課税価格　　　　　　　　　　　　　　重要度◎

(1)　**無制限納税義務者**（法21の2①）

　その年中において贈与により取得した財産の価額の合計額をもって、贈与税の課税価格とする。

(2)　**制限納税義務者**（法21の2②）

　その年中において贈与により取得した財産で法施行地にあるものの価額の合計額をもって、贈与税の課税価格とする。

(3)　**(1)及び(2)に該当する者**（法21の2③）

　その年中においてその者が法施行地に住所を有していた期間内に贈与により取得した財産で一定のものの価額及び法施行地に住所を有していなかった期間内に贈与により取得した財産で一定のものの価額の合計額をもって、贈与税の課税価格とする。

(4)　**相続開始の年において被相続人から贈与があった場合**（法21の2④）

　相続又は遺贈により財産を取得した者が相続開始の年において被相続人から受けた贈与により取得した財産の価額で生前贈与加算の規定により相続税の課税価格に加算されるものは、贈与税の課税価格に算入しない。

（MEMO）

## 4−2　相続税法の贈与税の非課税財産

### 1．贈与税の非課税財産（法21の3、21の4、21の2④）　　重要度◎

次の財産の価額は、贈与税の課税価格に算入しない。

⑴　法人からの贈与により取得した財産

⑵　扶養義務者相互間において生活費又は教育費に充てるためにした贈与により取得した財産のうち通常必要と認められるもの

⑶　宗教、慈善、学術その他公益を目的とする事業を行う者で一定のものが贈与により取得した財産でその公益を目的とする事業の用に供することが確実なもの

⑷　特定公益信託で学術に関する顕著な貢献を表彰するものもしくは顕著な価値がある学術に関する研究を奨励するものから交付される金品又は学生もしくは生徒に対する学資の支給を行うことを目的とする特定公益信託から交付される金品

⑸　条例の規定により地方公共団体が精神又は身体に障害のある者に関して実施する共済制度で一定のものに基づいて支給される給付金を受ける権利

⑹　公職選挙法の適用を受ける選挙における公職の候補者が選挙運動に関し贈与により取得した金銭等の利益で同法の規定による報告がなされたもの

⑺　特定障害者（特別障害者（非居住無制限納税義務者、居住制限納税義務者又は非居住制限納税義務者を除く。以下同じ。）及び障害者（特別障害者を除く。）のうち一定のもの（非居住無制限納税義務者、居住制限納税義務者又は非居住制限納税義務者を除く。）をいう。）が、特定障害者扶養信託契約に基づいて信託受益権を有することとなる場合において、その信託の際、障害者非課税信託申告書を納税地の所轄税務署長に提出したときは、その信託受益権の価額のうち6,000万円（特別障害者以外の者にあっては、3,000万円）までの金額（既にこの規定の適用を受けた部分の金額を控除した残額）に相当する部分

⑻　相続又は遺贈により財産を取得した者が相続開始の年において被相続人から受けた贈与により取得した財産の価額で生前贈与加算の規定により相続税の課税価格に加算されるもの

## ２．課税される場合 (法21の3②)

　1(3)の財産を取得した者がその財産を取得した日から２年を経過した日において、なおその財産をその公益を目的とする事業の用に供していない場合においては、その財産の価額は、贈与税の課税価格に算入する。

テーマ
4

**4-3** 住宅取得等資金の贈与を受けた場合の
贈与税の非課税

---

**1. 住宅取得等資金の贈与を受けた場合の贈与税の非課税**
（措法70の2①）　　　　　　　　　　　　　重要度◎

　　　令和6年1月1日から令和8年12月31日までの間にその直系尊属からの贈与に
より住宅取得等資金の取得をした特定受贈者が、住宅取得等資金の取得をした日
の属する年の翌年3月15日までにその住宅取得等資金の全額を住宅用家屋の新築
等のための対価に充ててその新築等をした場合において、同日までにその住宅用
家屋をその特定受贈者の居住の用に供したとき又は同日後遅滞なくその特定受贈
者の居住の用に供することが確実であると見込まれるときは、その贈与により取
得をした住宅取得等資金のうち住宅資金非課税限度額（既にこの規定の適用を受け
た金額がある場合には、その金額を控除した残額）までの金額については、贈与税の
課税価格に算入しない。

---

**2. 適用除外**（措法70の2④）　　　　　　　　重要度○

　　　新築等をした住宅用家屋を贈与により住宅取得等資金の取得をした日の属する
年の翌年3月15日後遅滞なく特定受贈者の居住の用に供することが確実であると
見込まれることにより1の規定の適用を受けた場合において、その住宅用家屋を
同年12月31日までにその特定受贈者の居住の用に供していなかったときは、1の
規定は、適用しない。

---

**3. 手　続**（措法70の2⑭⑮）　　　　　　　　重要度◎

⑴　1の規定は、贈与税の期限内申告書に①の事項を記載し、②の書類の添付
　　がある場合に限り、適用する。
　①　この規定の適用を受けようとする旨
　②　計算の明細書その他一定の書類
⑵　⑴の規定の適用については、税務署長がやむを得ない事情があると認める
　　ときは、この限りでない。

## 4．修正申告の特則　　　　　　　　　　　　　　　　　重要度◎

### (1)　修正申告の特則（措法70の2④）

　　2の規定により1の規定の適用がないこととなった場合には、その特定受贈者は、2に該当することとなった日から2月以内に、1の規定の適用を受けた年分の贈与税についての修正申告書を提出し、かつ、その期限内にその修正申告書の提出により納付すべき税額を納付しなければならない。

### (2)　国税通則法の適用（措法70の2⑥）

　　(1)の修正申告書に対する国税通則法の適用については、期限内申告書とみなす。

## 5．災害があった場合（措法70の2⑧⑨⑩⑪⑫）　　　　重要度△

(1)　1の規定の適用を受けた特定受贈者が、新築等をした住宅用家屋を贈与により住宅取得等資金の取得をした日の属する年の翌年3月15日後遅滞なくその特定受贈者の居住の用に供することが確実であると見込まれることにより同規定の適用を受けた場合において、その住宅用家屋が災害により滅失をしたことによって居住の用に供することができなくなったときは、2の規定は、適用しない。

(2)　適用期間（令和6年1月1日から令和8年12月31日までの期間をいう。以下同じ。）内にその直系尊属からの贈与により金銭の取得をした個人が、その金銭を新築等の対価に充ててその贈与により金銭の取得をした日の属する年の翌年3月15日までに新築等をした場合には、その新築等をした住宅用家屋が災害によって滅失をしたことにより同日までに居住の用に供することができなくなったときであっても、その個人は1の規定の適用を受けることができる。

(3)　1の規定の適用を受けた特定受贈者が、新築等をした住宅用家屋を贈与により住宅取得等資金の取得をした日の属する年の翌年3月15日後遅滞なくその特定受贈者の居住の用に供することが確実であると見込まれることにより1の規定の適用を受けた場合において、災害に基因するやむを得ない事情により同年12月31日までに居住の用に供することができなかったときにおける2の規定の適用については、「同年12月31日」を「贈与により住宅取得等資金の取得をした日の属する年の翌々年12月31日」とする。

テーマ
・・・・・
4

(4)　適用期間内にその直系尊属からの贈与により金銭の取得をした個人が、その金銭を新築等の対価に充てて新築等をする場合には、災害に基因するやむを得ない事情により金銭の取得をした日の属する年の翌年3月15日までに新築等ができなかったときであっても、「翌年3月15日」を「翌々年3月15日」として1の規定の適用を受けることができる。

(5)　1の規定の適用を受けた特定受贈者が新築等をした住宅用家屋が自然災害により滅失をした場合において、その特定受贈者が適用期間内にその直系尊属からの贈与により金銭の取得をし、その金銭を新築等の対価に充てて新築等をするときにおける同規定の適用については、住宅資金非課税限度額までの金額については、贈与税の課税価格に算入しない。

## 6. 用語の意義　　　　　　　　　　　　　　　　　　重要度△

(1)　**特定受贈者**（措法70の2②一、令40の4の2①）

次の要件を満たすものをいう。

①　居住無制限納税義務者又は非居住無制限納税義務者である個人であること。

②　住宅取得等資金の贈与を受けた日の属する年の1月1日において18歳以上の者であること。

③　住宅取得等資金の贈与を受けた日の属する年分の合計所得金額が2,000万円（新築等をした住宅用家屋の床面積が50㎡未満である場合には、1,000万円）以下である者であること。

(2)　**住宅用家屋**（措法70の2②二、令40の4の2②）

住宅用の家屋で特定受贈者が主としてその居住の用に供すると認められる次の家屋（その家屋の床面積の2分の1以上に相当する部分が専らその居住の用に供されるものに限る。以下同じ。）で法施行地にあるものをいう。

①　1棟の家屋で床面積が240㎡以下で、かつ、40㎡以上であるもの

②　1棟の家屋で、各独立部分を区分所有する場合には、その者の区分所有する部分の床面積が240㎡以下で、かつ、40㎡以上であるもの

(3)　**既存住宅用家屋**（措法70の2②三、令40の4の2③④）

建築後使用されたことのある住宅用家屋で特定受贈者が主としてその居住の用に供すると認められる家屋で法施行地にあるもののうち、(2)①又は②のいずれかのものであることにつき一定の証明がされたものをいう。

(4)　**増改築等**（措法70の2②四、令40の4の2⑥）

特定受贈者が所有している家屋につき行う増築、改築その他の一定の工事で次の要件を満たすものをいう。

① その工事をした家屋が、⑵①又は②のいずれかのものであること。

② その工事に要した費用の額が100万円以上であること。

③ その工事をした家屋が特定受贈者が主としてその居住の用に供すると認められるものであること。

④ その工事に要した費用の額の２分の１以上が居住の用に供する部分に係るものであること。

⑸ **住宅取得等資金**（措法70の２②五）

　　次のいずれかの新築等（特定受贈者の配偶者その他の特定受贈者と特別の関係がある者として一定の者との請負契約その他の契約に基づき新築もしくは増改築等をする場合又はその一定の者から取得をする場合を除く。）の対価に充てるための金銭をいう。

① 特定受贈者による住宅用家屋の新築又は建築後使用されたことのない住宅用家屋の取得

② 特定受贈者による既存住宅用家屋の取得

③ 特定受贈者が所有している家屋につき行う増改築等

　　なお、①から③には、その家屋の新築等とともにするその敷地の用に供されている土地等の取得（①の住宅用家屋の新築等に先行してするその敷地の用に供されることとなる土地等の取得を含む。）を含む。

⑹ **住宅資金非課税限度額**（措法70の２②六）

　　特定受贈者の住宅用の家屋の次の区分に応じ、その特定受贈者ごとにそれぞれ次の金額（次のいずれにも該当する場合には、その特定受贈者ごとにそれぞれ次の金額のうちいずれか多い金額）をいう。

① その住宅用の家屋が次の要件のいずれかを満たすものである場合
　　1,000万円

　　イ その住宅用の家屋（新築をした住宅用の家屋又は取得をした建築後使用されたことのない住宅用の家屋に限る。）がエネルギーの使用の合理化に著しく資する住宅用の家屋として一定のものであること。

　　ロ その住宅用の家屋がエネルギーの使用の合理化に資する住宅用の家屋（新築をした住宅用の家屋又は取得をした建築後使用されたことのない住宅用の家屋を除く。）、地震に対する安全性に係る基準に適合する住宅用の家屋又は高齢者等が自立した日常生活を営むのに必要な構造及び設備の基準に適合する住宅用の家屋として一定のものであること。

② その住宅用の家屋が①の家屋以外の家屋である場合
　　500万円

テーマ
4

## 4−4 直系尊属から教育資金の一括贈与を 受けた場合の贈与税の非課税

### 1. 直系尊属から教育資金の一括贈与を受けた場合の 贈与税の非課税 　　　　　　　　　　（措法70の2の2①）　　重要度◎

　　平成25年4月1日から令和8年3月31日までの間に、個人（教育資金管理契約を締結する日において30歳未満の者に限る。）が、その直系尊属と受託者との間の教育資金管理契約に基づき信託受益権を取得した場合、その直系尊属からの書面による贈与により取得した金銭を教育資金管理契約に基づき銀行等の営業所等において預金もしくは貯金として預入をした場合又は教育資金管理契約に基づきその直系尊属からの書面による贈与により取得した金銭等で金融商品取引業者の営業所等において有価証券を購入した場合には、その信託受益権、金銭又は金銭等の価額のうち1,500万円までの金額（既にこの規定の適用を受けた金額がある場合には、その金額を控除した残額）に相当する部分の価額については、贈与税の課税価格に算入しない。ただし、その個人のその信託受益権、金銭又は金銭等を取得した日の属する年の前年分の合計所得金額が1,000万円を超える場合は、この限りでない。

### 2. 手　続（措法70の2の2③⑨）　　重要度○

⑴　1の規定は、受贈者が教育資金非課税申告書を取扱金融機関の営業所等を経由し、信託がされる日、預金もしくは貯金の預入をする日又は有価証券を購入する日までに、その受贈者の納税地の所轄税務署長に提出した場合に限り、適用する。

⑵　1の規定の適用を受ける受贈者は、次の区分に応じそれぞれの日までに、教育資金の支払に充てた金銭に係る領収書等を取扱金融機関の営業所等に提出しなければならない。

①　教育資金の支払に充てた金銭に相当する額を払い出す方法により専ら払出しを受ける場合
　　支払年月日から1年を経過する日

②　①以外の場合
　　支払年月日の属する年の翌年3月15日

## 3．追加適用を受ける場合 （措法70の２の２④）　　　　　　重要度〇

　　受贈者（30歳未満の者に限る。）が既に教育資金非課税申告書を提出している場
合（その教育資金非課税申告書に記載された金額が1,500万円に満たない場合に限る。）に
おいて、その教育資金非課税申告書に係る教育資金管理契約に基づき、その受贈
者が新たに信託受益権を取得したとき、預金もしくは貯金として預入をしたとき、
又は有価証券を購入したときは、その受贈者は、追加教育資金非課税申告書を、
２(1)の取扱金融機関の営業所等を経由し、新たに信託がされる日、預金もしくは
貯金の預入をする日又は有価証券を購入する日までに、その受贈者の納税地の所
轄税務署長に提出した場合に限り、１の規定の適用を受けることができる。ただ
し、その受贈者のその信託受益権、金銭又は金銭等を取得した日の属する年の前
年分の合計所得金額が1,000万円を超える場合は、この限りでない。

## 4．贈与者が死亡した場合 （措法70の２の２⑫⑬）　　　　　　重要度〇

⑴　　１の規定の適用に係る贈与をした日から教育資金管理契約の終了の日まで
　　の間にその贈与者が死亡した場合には、受贈者については、その贈与者が死
　　亡した日における非課税拠出額から教育資金支出額（学校等以外の者に支払わ
　　れる金銭で一定のものについては、500万円を限度とする。以下同じ。）を控除した
　　残額として一定の金額（以下「管理残額」という。）をその贈与者から相続（そ
　　の受贈者が相続人以外の者である場合には、遺贈。）により取得したものとみな
　　す。
⑵　　その贈与者から相続又は遺贈により管理残額以外の財産を取得しなかった
　　受贈者については、生前贈与加算の規定の適用はない。
⑶　　⑴及び⑵の規定は、贈与者の死亡の日において受贈者が次に該当する場合
　　（②又は③に該当する場合には、一定の書類を提出した場合に限る。）には、適用し
　　ない。ただし、その贈与者から相続又は遺贈（相続時精算課税適用財産に係る
　　贈与を含む。）により財産を取得した全ての者に係る⑴の適用がないものとし
　　た場合における相続税の課税価格の合計額が５億円を超えるときは、この限
　　りでない。
　　①　　23歳未満である場合
　　②　　学校等に在学している場合
　　③　　教育訓練を受けている場合

テーマ

**4**

(1) 教育資金管理契約は、次の事由の区分に応じそれぞれの日のいずれか早い日に終了するものとする。

① 受贈者が30歳に達したこと（30歳に達した日において学校等に在学している場合又は教育訓練を受けている場合を除く。）　…………………30歳に達した日

② 受贈者（30歳以上の者に限る。③において同じ。）がその年中のいずれかの日において学校等に在学した日又は教育訓練を受けた日があることを取扱金融機関の営業所等に届け出なかったこと　………………その年の12月31日

③ 受贈者が40歳に達したこと……………………………………40歳に達した日

④ 受贈者が死亡したこと…………………………………………………死亡した日

⑤ 教育資金管理契約に係る信託財産の価額、預金もしくは貯金の額又は有価証券の価額が零となった場合において受贈者と取扱金融機関との間でこれらの教育資金管理契約を終了させる合意があったこと

………………………………………………その合意に基づき終了する日

(2) (1)（④を除く。(2)において同じ。）の事由に該当したことにより教育資金管理契約が終了した場合において、非課税拠出額から教育資金支出額（４(1)の管理残額を含む。以下同じ。）を控除した残額があるときは、次による。

① その残額については、その受贈者の(1)の日の属する年の贈与税の課税価格に算入する。

② 贈与税の税率の適用については、その残額は、一般贈与財産とみなす。

(3) (1)④の事由に該当したことにより教育資金管理契約が終了した場合には、非課税拠出額から教育資金支出額を控除した残額については、贈与税の課税価格に算入しない。

## 6．用語の意義 重要度△

(1)　**教育資金**（措法70の２の２②一）

次の金銭をいう。

① 　学校等に支払われる入学金、授業料その他の金銭で一定のもの

② 　学校等以外の者に、教育に関する役務の提供の対価として支払われる金銭その他の教育のために支払われる金銭で一定のもの

(2)　**教育資金管理契約**（措法70の２の２②二）

教育に必要な教育資金を管理することを目的とする契約であって次のものをいう。

① 　受贈者の直系尊属と受託者との間の信託に関する契約で次の事項が定められているもの

イ 　信託の主たる目的は、教育資金の管理とされていること。

ロ 　受託者がその信託財産として受け入れる資産は、金銭等に限られるものであること。

ハ 　その受贈者を信託の利益の全部についての受益者とするものであること。

ニ 　その他一定の事項

② 　受贈者と銀行等との間の普通預金その他の預金又は貯金に係る契約で次の事項が定められているもの

イ 　教育資金の支払に充てるために預金又は貯金を払い出した場合には、その受贈者は銀行等に領収書等を提出すること。

ロ 　その他一定の事項

③ 　受贈者と金融商品取引業者との間の有価証券の保管の委託に係る契約で次の事項が定められているもの

イ 　教育資金の支払に充てるために有価証券の譲渡等により金銭の交付を受けた場合には、その受贈者は金融商品取引業者に領収書等を提出すること。

ロ 　その他一定の事項

(3)　**非課税拠出額**（措法70の２の２②四）

教育資金非課税申告書又は追加教育資金非課税申告書にこの規定の適用を受けるものとして記載された金額を合計した金額をいう。

(4)　**教育資金支出額**（措法70の２の２②五）

取扱金融機関の営業所等において教育資金の支払の事実が確認され、かつ、記録された金額を合計した金額をいう。

## 4−5　直系尊属から結婚・子育て資金の一括贈与を受けた場合の贈与税の非課税

| 1. 直系尊属から結婚・子育て資金の一括贈与を受けた場合の贈与税の非課税 (措法70の2の3①) | 重要度◎ |

　平成27年4月1日から令和7年3月31日までの間に、個人（結婚・子育て資金管理契約を締結する日において18歳以上50歳未満の者に限る。）が、その直系尊属と受託者との間の結婚・子育て資金管理契約に基づき信託受益権を取得した場合、その直系尊属からの書面による贈与により取得した金銭を結婚・子育て資金管理契約に基づき銀行等の営業所等において預金もしくは貯金として預入をした場合又は結婚・子育て資金管理契約に基づきその直系尊属からの書面による贈与により取得した金銭等で金融商品取引業者の営業所等において有価証券を購入した場合には、その信託受益権、金銭又は金銭等の価額のうち1,000万円までの金額（既にこの規定の適用を受けた金額がある場合には、その金額を控除した残額）に相当する部分の価額については、贈与税の課税価格に算入しない。ただし、その個人のその信託受益権、金銭又は金銭等を取得した日の属する年の前年分の合計所得金額が1,000万円を超える場合は、この限りでない。

| 2. 手　続 (措法70の2の3③⑨) | 重要度○ |

⑴　1の規定は、受贈者が結婚・子育て資金非課税申告書を取扱金融機関の営業所等を経由し、信託がされる日、預金もしくは貯金の預入をする日又は有価証券を購入する日までに、その受贈者の納税地の所轄税務署長に提出した場合に限り、適用する。

⑵　1の規定の適用を受ける受贈者は、次の区分に応じそれぞれの日までに、結婚・子育て資金の支払に充てた金銭に係る領収書等を取扱金融機関の営業所等に提出しなければならない。

①　結婚・子育て資金の支払に充てた金銭に相当する額を払い出す方法により専ら払出しを受ける場合
　　支払年月日から1年を経過する日

②　①以外の場合
　　支払年月日の属する年の翌年3月15日

## 3．追加適用を受ける場合 (措法70の2の3④) 　　重要度○

　　受贈者が既に結婚・子育て資金非課税申告書を提出している場合（その結婚・子育て資金非課税申告書に記載された金額が1,000万円に満たない場合に限る。）において、その結婚・子育て資金非課税申告書に係る結婚・子育て資金管理契約に基づき、その受贈者が新たに信託受益権を取得したとき、預金もしくは貯金として預入をしたとき、又は有価証券を購入したときは、その受贈者は、追加結婚・子育て資金非課税申告書を、2(1)の取扱金融機関の営業所等を経由し、新たに信託がされる日、預金もしくは貯金の預入をする日又は有価証券を購入する日までに、その受贈者の納税地の所轄税務署長に提出した場合に限り、1の規定の適用を受けることができる。ただし、その受贈者のその信託受益権、金銭又は金銭等を取得した日の属する年の前年分の合計所得金額が1,000万円を超える場合は、この限りでない。

## 4．贈与者が死亡した場合 (措法70の2の3⑫) 　　重要度○

(1)　1の規定の適用に係る贈与をした日から結婚・子育て資金管理契約の終了の日までの間にその贈与者が死亡した場合には、受贈者については、その贈与者が死亡した日における非課税拠出額から結婚・子育て資金支出額（その受贈者の結婚に際して支出する費用で一定のものについては、300万円を限度とする。以下同じ。）を控除した残額として一定の金額（以下「管理残額」という。）をその贈与者から相続（その受贈者が相続人以外の者である場合には、遺贈。）により取得したものとみなす。

(2)　その贈与者から相続又は遺贈により管理残額以外の財産を取得しなかった受贈者については、生前贈与加算の規定の適用はない。

(1) 結婚・子育て資金管理契約は、次の事由の区分に応じそれぞれの日のいずれか早い日に終了するものとする。

① 受贈者が50歳に達したこと……………………………………50歳に達した日

② 受贈者が死亡したこと………………………………………………死亡した日

③ 結婚・子育て資金管理契約に係る信託財産の価額、預金もしくは貯金の額又は有価証券の価額が零となった場合において受贈者と取扱金融機関との間でこれらの結婚・子育て資金管理契約を終了させる合意があったこと

　………………………………………………その合意に基づき終了する日

(2) (1)①又は③の事由に該当したことにより結婚・子育て資金管理契約が終了した場合において、非課税拠出額から結婚・子育て資金支出額（4(1)の管理残額を含む。以下同じ。）を控除した残額があるときは、次による。

① その残額については、その受贈者の(1)①又は③の日の属する年の贈与税の課税価格に算入する。

② 贈与税の税率の適用については、その残額は、一般贈与財産とみなす。

(3) (1)②の事由に該当したことにより結婚・子育て資金管理契約が終了した場合には、非課税拠出額から結婚・子育て資金支出額を控除した残額については、贈与税の課税価格に算入しない。

## 6．用語の意義　　　　　　　　　　　　　　　　　重要度△

⑴　**結婚・子育て資金**（措法70の２の３②一）

　　次の金銭をいう。

　①　受贈者の結婚に際して支出する費用で一定のものに充てる金銭

　②　受贈者（その受贈者の配偶者を含む。）の妊娠、出産又は育児に要する費用
　　　で一定のものに充てる金銭

⑵　**結婚・子育て資金管理契約**（措法70の２の３②二）

　　結婚・子育て資金を管理することを目的とする契約であって次のものをいう。

　①　受贈者の直系尊属と受託者との間の信託に関する契約で次の事項が定め
　　　られているもの

　　イ　信託の主たる目的は、結婚・子育て資金の管理とされていること。

　　ロ　受託者がその信託財産として受け入れる資産は、金銭等に限られるも
　　　　のであること。

　　ハ　その受贈者を信託の利益の全部についての受益者とするものであること。

　　ニ　その他一定の事項

　②　受贈者と銀行等との間の普通預金その他の預金又は貯金に係る契約で次
　　　の事項が定められているもの

　　イ　結婚・子育て資金の支払に充てるために預金又は貯金を払い出した場
　　　　合には、その受贈者は銀行等に領収書等を提出すること。

　　ロ　その他一定の事項

　③　受贈者と金融商品取引業者との間の有価証券の保管の委託に係る契約で
　　　次の事項が定められているもの

　　イ　結婚・子育て資金の支払に充てるために有価証券の譲渡等により金銭
　　　　の交付を受けた場合には、その受贈者は金融商品取引業者に領収書等を
　　　　提出すること。

　　ロ　その他一定の事項

⑶　**非課税拠出額**（措法70の２の３②四）

　　結婚・子育て資金非課税申告書又は追加結婚・子育て資金非課税申告書に
　　この規定の適用を受けるものとして記載された金額を合計した金額をいう。

⑷　**結婚・子育て資金支出額**（措法70の２の３②五）

　　取扱金融機関の営業所等において結婚・子育て資金の支払の事実が確認さ
　　れ、かつ、記録された金額を合計した金額をいう。

テーマ
4

## 4-6　贈与税の配偶者控除

### 1．贈与税の配偶者控除（法21の6①）　重要度◎

　その年において贈与によりその者との婚姻期間が20年以上である配偶者から居住用不動産又は金銭を取得した者（その年の前年以前のいずれかの年においてその配偶者から取得した財産につきこの規定の適用を受けた者を除く。）が、その取得の日の属する年の翌年3月15日までにその居住用不動産をその者の居住の用に供し、かつ、その後引き続き居住の用に供する見込みである場合又は同日までにその金銭をもって居住用不動産を取得して、これをその者の居住の用に供し、かつ、その後引き続き居住の用に供する見込みである場合においては、その年分の贈与税については、課税価格から2,000万円（その居住用不動産の価額に相当する金額とその金銭のうち居住用不動産の取得に充てられた部分の金額との合計額が2,000万円に満たない場合には、その合計額）を控除する。

### 2．手　続（法21の6②③）　重要度◎

(1)　1の規定は、贈与税の期限内申告書（期限後申告書及び修正申告書を含む。）又は更正請求書に、次の事項を記載した書類その他一定の書類の添付がある場合に限り、適用する。
　①　控除を受ける金額
　②　控除に関する事項
　③　控除を受けようとする年の前年以前の各年分の贈与税につきこの規定の適用を受けていない旨
(2)　(1)の規定の適用については、税務署長がやむを得ない事情があると認めるときは、この限りでない。

（MEMO）

# 4−7 在外財産に対する贈与税額の控除

| 在外財産に対する贈与税額の控除 （法21の8） | 重要度◎ |
|---|---|

　贈与により法施行地外にある財産を取得した場合において、その財産についてその地の法令により贈与税に相当する税が課せられたときは、その財産を取得した者については、算出贈与税額からその課せられた税額に相当する金額を控除した残額をもって、その納付すべき贈与税額とする。

　ただし、その控除すべき金額が、次の算式により計算した金額を超える場合においては、その超える部分の金額については、その控除をしない。

《算　式》

$$\text{算出贈与税額} \times \frac{\text{法施行地外にある財産の価額}}{\text{その年分の贈与税の課税価格に算入された財産の価額}}$$

（MEMO）

テーマ
・・・・・
4

(MEMO)

# 相続時精算課税

## 5−1　相続時精算課税

| 1．相続時精算課税の選択 | 重要度◎ |

### (1)　内　容（法21の9①）

　　贈与により財産を取得した者が贈与者の推定相続人（その贈与者の直系卑属である者のうちその年1月1日において18歳以上であるものに限る。）であり、かつ、その贈与者が同日において60歳以上の者である場合には、その贈与により財産を取得した者は、その贈与に係る財産について、相続時精算課税の規定の適用を受けることができる。

### (2)　相続時精算課税選択届出書の提出（法21の9②）

　　(1)の規定の適用を受けようとする者は、贈与税の期限内申告書の提出期間内に相続時精算課税選択届出書を納税地の所轄税務署長に提出しなければならない。

### (3)　相続時精算課税選択届出書の効力（法21の9③〜⑥）

①　特定贈与者からの贈与により取得する財産については、相続時精算課税選択届出書に係る年分以後、2の規定により、贈与税額を計算する。

②　その年1月1日において18歳以上の者が同日において60歳以上の者からの贈与により財産を取得した場合にその年の中途においてその者の養子となったことその他の事由によりその者の推定相続人となったときには、推定相続人となった時前にその者からの贈与により取得した財産については、(1)の規定の適用はないものとする。

③　相続時精算課税適用者が、特定贈与者の推定相続人でなくなった場合においても、その特定贈与者からの贈与により取得した財産については、①の規定の適用があるものとする。

④　相続時精算課税適用者は、相続時精算課税選択届出書を撤回することができない。

| 2．相続時精算課税に係る贈与税額の計算等 | 重要度◎ |

### (1)　贈与税の課税価格（法21の10）

　　相続時精算課税適用者が特定贈与者からの贈与により取得した財産については、特定贈与者ごとにその年中において贈与により取得した財産の価額を合計し、それぞれの合計額をもって、贈与税の課税価格とする。

(2) **贈与税の基礎控除**（法21の11の2、措法70の3の2、令5の2、措令40の5の2）

①　相続時精算課税適用者がその年中において特定贈与者からの贈与により取得した財産に係るその年分の贈与税については、贈与税の課税価格から110万円を控除する。

②　相続時精算課税適用者がその年中において2人以上の特定贈与者からの贈与により財産を取得した場合には、①の控除する金額は、特定贈与者ごとに、次の算式により計算するものとする。

《算　式》

$$110万円 \times \frac{特定贈与者ごとの贈与税の課税価格}{贈与税の課税価格の合計額}$$

(3) **贈与税の特別控除**（法21の12）

①　内　容

相続時精算課税適用者がその年中において特定贈与者からの贈与により取得した財産に係るその年分の贈与税については、特定贈与者ごとの(2)①の規定による控除後の贈与税の課税価格からそれぞれ次の金額のうちいずれか低い金額を控除する。

イ　2,500万円（既にこの規定の適用を受けた金額がある場合には、その金額の合計額を控除した残額）

ロ　特定贈与者ごとの(2)①の規定による控除後の贈与税の課税価格

②　手　続

イ　①の規定は、贈与税の期限内申告書に次の事項の記載がある場合に限り、適用する。

（イ）控除を受ける金額

（ロ）既に控除した金額がある場合の控除した金額

（ハ）その他一定の事項

ロ　イの規定の適用については、税務署長がやむを得ない事情があると認めるときは、この限りでない。

(4) **贈与税の税率**（法21の13）

相続時精算課税適用者がその年中において特定贈与者からの贈与により取得した財産に係るその年分の贈与税の額は、特定贈与者ごとに、(2)①の規定による控除後の贈与税の課税価格（(3)①の規定の適用がある場合には、控除後の金額）にそれぞれ100分の20の税率を乗じて計算した金額とする。

テーマ
5

## 3．相続時精算課税に係る相続税額の計算等 重要度◎

⑴ **特定贈与者から相続又は遺贈により財産を取得した場合**（法21の15①）

　　特定贈与者から相続又は遺贈により財産を取得した相続時精算課税適用者については、相続時精算課税適用財産（その年分の贈与税の課税価格計算の基礎に算入されるものに限る。）の価額から２⑵①の規定による控除をした残額を相続税の課税価格に加算した価額をもって、相続税の課税価格とする。

⑵ **特定贈与者から相続又は遺贈により財産を取得しなかった場合**（法21の16①③）

① 　特定贈与者から相続又は遺贈により財産を取得しなかった相続時精算課税適用者については、相続時精算課税適用財産をその特定贈与者から相続（その相続時精算課税適用者が相続人以外の者である場合には、遺贈）により取得したものとみなして相続税の計算規定を適用する。

② 　①の規定により特定贈与者から相続又は遺贈により取得したものとみなされた相続時精算課税適用財産の相続税の計算規定は、次による。

　イ　その相続時精算課税適用財産の価額は贈与の時における価額とする。

　ロ　その相続時精算課税適用財産の価額から２⑵①の規定による控除をした残額を相続税の課税価格に算入する。

⑶ **納付税額の計算**（法21の15③、21の16④、令５の３）

　　⑴又は⑵の場合において、相続時精算課税適用財産につき課せられた贈与税があるときは、相続税額（相続税額の加算から在外財産に対する相続税額の控除までの規定を適用した後の金額）からその贈与税の税額（在外財産に対する贈与税額の控除適用前の税額とし、附帯税に相当する税額を除く。）に相当する金額を控除した金額をもって、その納付すべき相続税額とする。

## 4．相続時精算課税に係る相続税の納付義務の承継等　重要度◎

(1)　**特定贈与者の死亡以前に死亡した場合**（法21の17①）

　　　特定贈与者の死亡以前に相続時精算課税適用者が死亡した場合には、その相続時精算課税適用者の相続人（包括受遺者を含む。以下同じ。）は、その相続時精算課税適用者が有していた相続時精算課税の規定の適用を受けていたことに伴う納税に係る権利又は義務を承継する。

　　　ただし、その相続人のうちにその特定贈与者がある場合には、その特定贈与者は、その納税に係る権利又は義務については、これを承継しない。

(2)　**相続時精算課税選択届出書の提出前に死亡した場合**（法21の18①②）

　①　贈与により財産を取得した者（以下「被相続人」という。）が1(1)の規定の適用を受けることができる場合に、その被相続人が相続時精算課税選択届出書の提出期限前にその届出書を提出しないで死亡したときは、その被相続人の相続人（その贈与者を除く。以下同じ。）は、その相続の開始があったことを知った日の翌日から10月以内（注）に、その届出書をその被相続人の納税地の所轄税務署長に共同して提出することができる。

　②　①の規定により相続時精算課税選択届出書を提出した相続人は、被相続人が有することとなる相続時精算課税の規定の適用を受けることに伴う納税に係る権利又は義務を承継する。

（注）その者が納税管理人の届出をしないでその期間内に法施行地に住所及び居所を有しないこととなるときは、その住所及び居所を有しないこととなる日まで

テーマ
5

**5-2** 相続時精算課税適用者の特例

## 1. 相続時精算課税適用者の特例　　　　　　　　　　重要度◎

**(1) 内 容**（措法70の2の6①④）

　　平成27年1月1日以後に贈与により財産を取得した者が贈与者の孫（その年1月1日において18歳以上である者に限る。）であり、かつ、その贈与者がその年1月1日において60歳以上の者である場合には、その贈与により財産を取得した者については、相続時精算課税の規定を準用する。

　　この場合において、相続時精算課税選択届出書を提出した者を相続時精算課税適用者と、贈与者を特定贈与者とみなす。

**(2) 相続時精算課税選択届出書の効力**（措法70の2の6②③）

　① 　その年1月1日において18歳以上の者が同日において60歳以上の者からの贈与により財産を取得した場合において、その贈与により財産を取得した者がその年の中途においてその贈与者の孫となったときは、孫となった時前にその者からの贈与により取得した財産については、(1)の規定の適用はないものとする。

　② 　(1)において準用する相続時精算課税適用者が、特定贈与者の孫でなくなった場合においても、その特定贈与者からの贈与により取得した財産については、相続時精算課税の規定の適用があるものとする。

## 2. 個人の事業用資産についての贈与税の納税猶予及び免除に係る特例　　　　　重要度○

**(1) 内 容**（措法70の2の7①④）

　　贈与により個人の事業用資産についての贈与税の納税猶予及び免除の適用に係る特例受贈事業用資産を取得した特例事業受贈者が贈与者の直系卑属である推定相続人以外の者（その贈与者の孫を除き、その年1月1日において18歳以上である者に限る。）であり、かつ、その贈与者が同日において60歳以上の者である場合には、その特例事業受贈者については、相続時精算課税の規定を準用する。

　　この場合において、相続時精算課税選択届出書を提出した特例事業受贈者を相続時精算課税適用者と、贈与者を特定贈与者とみなす。

(2)　**相続時精算課税選択届出書の効力**（措法70の2の7②③、措令40の4の7）

① 　特例事業受贈者が贈与者（その年1月1日において60歳以上の者に限る。）からの贈与により特例受贈事業用資産を取得した場合において、その特例受贈事業用資産の取得の時前にその贈与者からの贈与により取得した財産については、(1)の規定の適用はないものとする。

② 　(1)において準用する相続時精算課税適用者が、猶予中贈与税額の全部につき猶予期限が確定した場合又は免除された場合においても、その特定贈与者からの贈与により取得した財産については、相続時精算課税の規定の適用があるものとする。

## 3．非上場株式等についての贈与税の納税猶予及び免除の特例に係る特例　　重要度○

(1)　**内　容**（措法70の2の8）

　　贈与により非上場株式等についての贈与税の納税猶予及び免除の特例の適用に係る特例対象受贈非上場株式等を取得した特例経営承継受贈者が特例贈与者の直系卑属である推定相続人以外の者（その特例贈与者の孫を除き、その年1月1日において18歳以上である者に限る。）であり、かつ、その特例贈与者が同日において60歳以上の者である場合には、その特例経営承継受贈者については、相続時精算課税の規定を準用する。

　　この場合において、相続時精算課税選択届出書を提出した特例経営承継受贈者を相続時精算課税適用者と、特例贈与者を特定贈与者とみなす。

(2)　**相続時精算課税選択届出書の効力**（措法70の2の8、措令40の4の8）

① 　特例経営承継受贈者が特例贈与者（その年1月1日において60歳以上の者に限る。）からの贈与により特例対象受贈非上場株式等を取得した場合において、その特例対象受贈非上場株式等の取得の時前にその特例贈与者からの贈与により取得した財産については、(1)の規定の適用はないものとする。

② 　(1)において準用する相続時精算課税適用者が、猶予中贈与税額の全部につき猶予期限が確定した場合又は免除された場合においても、その特定贈与者からの贈与により取得した財産については、相続時精算課税の規定の適用があるものとする。

テーマ
5

# 5−3 住宅取得等資金の贈与を受けた場合の相続時精算課税の特例

## １．住宅取得等資金の贈与を受けた場合の相続時精算課税の特例 （措法70の3①②）　　重要度◎

　平成15年1月1日から令和8年12月31日までの間にその年1月1日において60歳未満の者からの贈与により住宅取得等資金の取得をした特定受贈者が、住宅取得等資金の取得をした日の属する年の翌年3月15日までにその住宅取得等資金の全額を住宅用家屋の新築等のための対価に充ててその新築等をした場合において、同日までにその住宅用家屋をその特定受贈者の居住の用に供したとき又は同日後遅滞なくその特定受贈者の居住の用に供することが確実であると見込まれるときは、その特定受贈者については、相続時精算課税の規定を準用する。

　この場合において、相続時精算課税選択届出書を提出した特定受贈者を相続時精算課税適用者と、住宅資金贈与者を特定贈与者とみなす。

## ２．適用除外 （措法70の3④）　　重要度○

　新築等をした住宅用家屋を贈与により住宅取得等資金の取得をした日の属する年の翌年3月15日後遅滞なく特定受贈者の居住の用に供することが確実であると見込まれることにより相続時精算課税選択届出書を提出していた場合において、その住宅用家屋を同年12月31日までにその特定受贈者の居住の用に供していなかったときは、1において準用する相続時精算課税選択届出書を提出していなかったものとみなす。

## ３．手　続 （措法70の3⑫）　　重要度◎

　1の規定は、贈与税の期限内申告書に(1)の事項を記載し、(2)の書類の添付がある場合に限り、適用する。

　⑴　この規定の適用を受けようとする旨
　⑵　計算の明細書その他一定の書類

## 4. 修正申告の特則 [重要度◎]

(1) **修正申告の特則** (措法70の3④)

2の規定により1の規定の適用がないこととなった場合には、その特定受贈者は、2に該当することとなった日から2月以内に、1の規定の適用を受けた年分の贈与税についての修正申告書を提出し、かつ、その期限内にその修正申告書の提出により納付すべき税額を納付しなければならない。

(2) **国税通則法の適用** (措法70の3⑥)

(1)の修正申告書に対する国税通則法の適用については、期限内申告書とみなす。

## 5. 災害があった場合 (措法70の3⑧⑨⑩⑪) [重要度△]

(1) 1の規定の適用を受けた特定受贈者が、新築等をした住宅用家屋を贈与により住宅取得等資金の取得をした日の属する年の翌年3月15日後遅滞なくその特定受贈者の居住の用に供することが確実であると見込まれることにより同規定の適用を受けた場合において、その住宅用家屋が災害により滅失をしたことによって居住の用に供することができなくなったときは、2の規定は、適用しない。

(2) 適用期間（平成15年1月1日から令和8年12月31日までの期間をいう。以下同じ。）内にその年1月1日において60歳未満の者からの贈与により金銭の取得をした個人が、その金銭を新築等の対価に充ててその贈与により金銭の取得をした日の属する年の翌年3月15日までに新築等をした場合には、その新築等をした住宅用家屋が災害によって滅失をしたことにより同日までに居住の用に供することができなくなったときであっても、その個人は1の規定の適用を受けることができる。

(3) 1の規定の適用を受けた特定受贈者が、新築等をした住宅用家屋を贈与により住宅取得等資金の取得をした日の属する年の翌年3月15日後遅滞なくその特定受贈者の居住の用に供することが確実であると見込まれることにより1の規定の適用を受けた場合において、災害に基因するやむを得ない事情により同年12月31日までに居住の用に供することができなかったときにおける2の規定の適用については、「同年12月31日」を「贈与により住宅取得等資金の取得をした日の属する年の翌々年12月31日」とする。

テーマ
5

**101**

(4) 適用期間内にその年1月1日において60歳未満の者からの贈与により金銭の取得をした個人が、その金銭を新築等の対価に充てて新築等をする場合には、災害に基因するやむを得ない事情により金銭の取得をした日の属する年の翌年3月15日までに新築等ができなかったときであっても、「翌年3月15日」を「翌々年3月15日」として1の規定の適用を受けることができる。

---

## 6．用語の意義　　　　　　　　　　　　　　　　　　　　　　重要度〇

(1) **特定受贈者**（措法70の3③一）

次の要件を満たすものをいう。

① 居住無制限納税義務者又は非居住無制限納税義務者である個人であること。

② 住宅取得等資金の贈与者の直系卑属である推定相続人（孫を含む。）であること。

③ 住宅取得等資金の贈与を受けた日の属する年の1月1日において18歳以上の者であること。

(2) **住宅用家屋**（措法70の3③二、令40の5①）

住宅用の家屋で特定受贈者が主としてその居住の用に供すると認められる次の家屋（その家屋の床面積の2分の1以上に相当する部分が専らその居住の用に供されるものに限る。以下同じ。）で法施行地にあるものをいう。

① 1棟の家屋で床面積が40㎡以上であるもの

② 1棟の家屋で、各独立部分を区分所有する場合には、その者の区分所有する部分の床面積が40㎡以上であるもの

(3) **既存住宅用家屋**（措法70の3③三、令40の5②③）

建築後使用されたことのある住宅用家屋で特定受贈者が主としてその居住の用に供すると認められる家屋で法施行地にあるもののうち、(2)①又は②のいずれかのものであることにつき一定の証明がされたものをいう。

(4) **増改築等**（措法70の3③四、令40の5⑤）

特定受贈者が所有している家屋につき行う増築、改築その他の一定の工事で次の要件を満たすものをいう。

① その工事をした家屋が、(2)①又は②のいずれかのものであること。

② その工事に要した費用の額が100万円以上であること。

③ その工事をした家屋が特定受贈者が主としてその居住の用に供すると認められるものであること。

④ その工事に要した費用の額の2分の1以上が居住の用に供する部分に係るものであること。

⑸　**住宅取得等資金**（措法70の３③五）

　　次のいずれかの新築等（特定受贈者の配偶者その他の特定受贈者と特別の関係がある者として一定の者との請負契約その他の契約に基づき新築もしくは増改築等をする場合又はその一定の者から取得をする場合を除く。）の対価に充てるための金銭をいう。

①　特定受贈者による住宅用家屋の新築又は建築後使用されたことのない住宅用家屋の取得

②　特定受贈者による既存住宅用家屋の取得

③　特定受贈者が所有している家屋につき行う増改築等

　　なお、①から③には、その家屋の新築等とともにするその敷地の用に供されている土地等の取得（①の住宅用家屋の新築等に先行してするその敷地の用に供されることとなる土地等の取得を含む。）を含む。

(MEMO)

# 財 産 の 評 価

# 6−1 相続税法の財産の評価

## 1. 評価の原則 （法22）　　　　　　　　　　　重要度◎

　2で特別の定めのあるものを除くほか、相続、遺贈又は贈与により取得した財産の価額は、その財産の取得の時における時価により、その財産の価額から控除すべき債務の金額は、その時の現況による。

## 2. 評価の特例　　　　　　　　　　　　　　　重要度○

(1)　**地上権及び永小作権の評価** （法23）

　　　自用地としての価額 × 残存期間に応ずる一定の割合

(2)　**配偶者居住権等の評価** （法23の2）

①　配偶者居住権の価額は、次のイからロを控除した残額とする。

　　イ　その配偶者居住権の目的となっている建物の相続開始の時における時価（その建物の一部が賃貸の用に供されている場合又は被相続人がその建物を配偶者と共有していた場合には、その建物のうちその賃貸の用に供されていない部分又は被相続人の持分に応ずる部分の価額として一定の金額）

　　ロ　$イ \times \dfrac{耐用年数 - 経過年数 - 存続年数}{耐用年数 - 経過年数} \times$ 存続年数に応じた法定利率による複利現価率

②　配偶者居住権の目的となっている建物の価額は、その建物の相続開始の時における時価から①の価額を控除した残額とする。

③　配偶者居住権の目的となっている建物の敷地の用に供される土地をその配偶者居住権に基づき使用する権利の価額は、次のイからロを控除した残額とする。

　　イ　その土地の相続開始の時における時価（その建物の一部が賃貸の用に供されている場合又は被相続人が当該土地を他の者と共有し、もしくはその建物を配偶者と共有していた場合には、その建物のうちその賃貸の用に供されていない部分に応ずる部分又は被相続人の持分に応ずる部分の価額として一定の金額）

　　ロ　イ×存続年数に応じた法定利率による複利現価率

④　配偶者居住権の目的となっている建物の敷地の用に供される土地の価額は、その土地の相続開始の時における時価から③の価額を控除した残額とする。

(3) **定期金給付事由が発生している定期金に関する権利の評価** (法24)

① 定期金給付契約で定期金給付事由が発生しているものに関する権利の価額は、次の区分に応じ、それぞれの金額による。

　イ　有期定期金

　　次の金額のうちいずれか多い金額

　　(イ) 解約返戻金の金額

　　(ロ) 定期金に代えて一時金の給付を受けることができる場合……一時金の金額

　　(ハ) $\dfrac{\text{給付を受けるべき金額の}}{\text{1年当たりの平均額}} \times \dfrac{\text{残存期間に応ずる予定利率}}{\text{による複利年金現価率}}$

　ロ　無期定期金

　　次の金額のうちいずれか多い金額

　　(イ) 解約返戻金の金額

　　(ロ) 定期金に代えて一時金の給付を受けることができる場合……一時金の金額

　　(ハ) 給付を受けるべき金額の1年当たりの平均額÷予定利率

　ハ　終身定期金

　　次の金額のうちいずれか多い金額

　　(イ) 解約返戻金の金額

　　(ロ) 定期金に代えて一時金の給付を受けることができる場合……一時金の金額

　　(ハ) $\dfrac{\text{給付を受けるべき金額の}}{\text{1年当たりの平均額}} \times \dfrac{\text{目的とされた者の余命年数に応ずる}}{\text{予定利率による複利年金現価率}}$

　ニ　保証期間付定期金に関する権利に規定する一時金

　　その給付金額

② 終身定期金でその目的とされた者が申告期限までに死亡し、給付が終了した場合の権利の価額は、申告期限までに給付を受けるべき金額による。

③ 期間付終身定期金に係る権利の価額は、有期定期金として算出した金額と終身定期金として算出した金額のいずれか少ない金額による。

④ 保証期間付終身定期金に係る権利の価額は、有期定期金として算出した金額と終身定期金として算出した金額のいずれか多い金額による。

⑤ ①から④の規定は、定期金に関する権利で契約に基づくもの以外のものの価額の評価について準用する。

(4) **定期金給付事由が発生していない定期金に関する権利の評価**（法25）

定期金給付契約（生命保険契約を除く。）で定期金給付事由が発生していないものに関する権利の価額は、次の区分に応じ、それぞれの金額による。

① その契約に解約返戻金を支払う旨の定めがない場合

次の区分に応じ、それぞれの金額に100分の90を乗じて得た金額

イ 掛金又は保険料が一時に払い込まれた場合

$$\text{掛金又は保険料} \atop \text{の払込金額} \quad \times \quad \text{経過期間に応ずる予定利率} \atop \text{による複利終価率}$$

ロ イ以外の場合

$$\text{経過期間に払い込まれた掛金又は} \atop \text{保険料の金額の1年当たりの平均額} \quad \times \quad \text{経過期間に応ずる予定利率} \atop \text{による複利年金終価率}$$

② ①以外の場合

解約返戻金の金額

(5) **立木の評価**（法26）

相続又は遺贈（包括遺贈及び被相続人からの相続人に対する遺贈に限る。）により取得した立木の価額は、その立木を取得した時における立木の時価に100分の85の割合を乗じて算出した金額による。

(6) **土地評価審議会**（法26の2）

① 国税局ごとに、土地評価審議会を置く。

② 土地評価審議会は、土地の評価に関する事項で国税局長がその意見を求めたものについて調査審議する。

③ 土地評価審議会は、委員20人以内で組織する。

④ 委員は、関係行政機関の職員、地方公共団体の職員及び土地の評価について学識経験を有する者のうちから、国税局長が任命する。

(MEMO)

(MEMO)

# 申　告

**7-1** 国税通則法の期限内申告、期限後申告、修正申告、更正の請求並びに更正及び決定

---

| 1. 期限内申告 （国通法17） | 重要度○ |

申告納税方式による国税の納税者は、国税に関する法律の定めるところにより、期限内申告書を法定申告期限までに税務署長に提出しなければならない。

| 2. 期限後申告 （国通法18） | 重要度○ |

期限内申告書を提出すべきであった者は、その提出期限後においても、決定があるまでは、期限後申告書を税務署長に提出することができる。

| 3. 修正申告 （国通法19） | 重要度○ |

納税申告書を提出した者又は更正もしくは決定を受けた者は、次のいずれかの場合には、更正があるまでは、課税価格又は税額を修正する修正申告書を税務署長に提出することができる。

(1) 先の申告等に係る税額に不足額があるとき

(2) 先の申告等に係る還付金の額に相当する税額が過大であるとき

(3) 先の申告等につき納付すべき税額を記載しなかった場合において、納付すべき税額があるとき

| 4. 更正の請求 | 重要度○ |

(1) **一般的な更正の請求** （国通法23①、法32②）

　　納税申告書を提出した者は、課税価格もしくは税額の計算が国税に関する法律の規定に従っていなかったこと又はその計算に誤りがあったことにより、次のいずれかの場合には、国税の法定申告期限から5年（贈与税の場合には6年）以内に限り、税務署長に対し、課税価格又は税額につき更正をすべき旨の請求をすることができる。

① その申告に係る納付すべき税額が過大であるとき

② その申告に係る還付金の額に相当する税額が過少であるとき、又は還付金の額に相当する税額の記載がなかったとき

(2)　**後発的事由が生じたことによる更正の請求**（国通法23②）

　　納税申告書を提出した者又は決定を受けた者は、課税価格又は税額の計算の基礎となった事実に関する訴えについての判決により、その事実がその計算の基礎としたところと異なることが確定したとき等により(1)の事由に該当する場合には、その事由が生じた日の翌日から2月以内（納税申告書を提出した者については、(1)に規定する期間の満了する日後に到来する場合に限る。）に限り、税務署長に対し、更正の請求をすることができる。

## 5．更正及び決定　　　　　　　　　　　　　　重要度△

(1)　**更　正**（国通法24）

　　税務署長は、納税申告書の提出があった場合において、課税価格又は税額の計算が国税に関する法律の規定に従っていなかったとき、その他その課税価格又は税額がその調査したところと異なるときは、その調査により、その課税価格又は税額を更正する。

(2)　**決　定**（国通法25）

　　税務署長は、納税申告書を提出する義務があると認められる者がその申告書を提出しなかった場合には、その調査により、課税価格及び税額を決定する。

　　ただし、決定により納付すべき税額及び還付金の額に相当する税額が生じないときは、この限りでない。

(3)　**再更正**（国通法26）

　　税務署長は、更正又は決定をした後、課税価格又は税額が過大又は過少であることを知ったときは、その調査により、その課税価格又は税額を更正する。

テーマ7

7-2 相続税法の相続税の期限内申告及び還付申告

## 1．相続税の期限内申告　　　　　　　　　　　　　　重要度◎

### (1) 本来の提出義務者

① 一般の場合（法27①）

相続又は遺贈（被相続人からの相続時精算課税適用財産に係る贈与を含む。以下同じ。）により財産を取得した者及びその被相続人に係る相続時精算課税適用者は、その被相続人からこれらの事由により財産を取得したすべての者に係る相続税の課税価格（注1）の合計額が遺産に係る基礎控除額を超える場合において、その者に係る相続税額（配偶者に対する相続税額の軽減の規定の適用がないものとして計算した金額）があるときは、その相続の開始があったことを知った日の翌日から10月以内（注2）に相続税の期限内申告書を納税地の所轄税務署長に提出しなければならない。

② 相続財産法人に係る財産分与等の事由が生じた場合（法29①）

相続財産法人に係る財産分与又は特別寄与料の額の確定の事由が生じたため新たに相続税の期限内申告書を提出すべき要件に該当することとなった者は、その事由が生じたことを知った日の翌日から10月以内（注2）に相続税の期限内申告書を納税地の所轄税務署長に提出しなければならない。

### (2) 提出義務の承継者（法27②、29②）

(1)の規定により相続税の期限内申告書を提出すべき者が申告期限前にその申告書を提出しないで死亡した場合には、その者の相続人（包括受遺者を含む。以下同じ。）は、その相続の開始があったことを知った日の翌日から10月以内（注2）に、その死亡した者に係る相続税の期限内申告書をその死亡した者の納税地の所轄税務署長に提出しなければならない。

## 2．還付を受けるための相続税の申告 (法27③)　　　　　重要度◎

相続時精算課税適用者は、1(1)①の規定により相続税の期限内申告書を提出すべき場合のほか、相続時精算課税に係る贈与税額の還付を受けるため、還付を受けるための相続税の申告書を納税地の所轄税務署長に提出することができる。

## 3．共同提出等　　　　　　　　　　　　　　　　　　　　重要度△

(1)　**明細書の添付**（法27④、29②）

　　　１、２の規定により申告書を提出する場合には、その申告書に一定の明細
　書を添付しなければならない。

(2)　**申告書の共同提出**（法27⑤、29②）

　　　同一の被相続人から相続又は遺贈により財産を取得した者又はその者の相
　続人で１又は２の規定により申告書を提出すべきもの又は提出することがで
　きるものが２人以上ある場合において、その申告書の提出先の税務署長が同
　一であるときは、これらの者は、その申告書を共同して提出することができ
　る。

(3)　**提出を要しない場合**（法27⑥、29②）

　　　１又は２の規定は、申告期限前に相続税について決定があった場合には、
　適用しない。


（注１）被相続人からの相続の開始前３年以内の贈与財産及び相続時精算課税適用財産の価
　　　　額を相続税の課税価格に加算した後の相続税の課税価格とみなされた金額

（注２）その者が納税管理人の届出をしないでその期間内に法施行地に住所及び居所を有し
　　　　ないこととなるときは、その住所及び居所を有しないこととなる日まで

## 7-3　相続税法の贈与税の期限内申告

| 1．贈与税の期限内申告 | 重要度◎ |

### (1)　本来の提出義務者（法28①）

　　贈与により財産を取得した者は、その年分の贈与税額（贈与税の配偶者控除の規定の適用がないものとして計算した金額。以下同じ。）がある場合又はその財産が相続時精算課税適用財産である場合（相続時精算課税に係る贈与税の基礎控除の規定による控除後の贈与税の課税価格がある場合に限る。）は、その年の翌年2月1日から3月15日まで（注1）に、贈与税の期限内申告書を納税地の所轄税務署長に提出しなければならない。

### (2)　提出義務の承継者（法28②）

　　次の場合においては、その死亡した者の相続人（包括受遺者を含む。）は、その相続の開始があったことを知った日の翌日から10月以内（注2）に、その死亡した者に係る贈与税の期限内申告書をその死亡した者の納税地の所轄税務署長に提出しなければならない。

①　年の中途において死亡した者がその年1月1日から死亡の日までに贈与により取得した財産の価額の合計額につき贈与税額があることとなる場合

②　年の中途において死亡した相続時精算課税適用者がその年1月1日から死亡の日までに相続時精算課税適用財産を贈与により取得した場合（相続時精算課税に係る贈与税の基礎控除の規定による控除後の贈与税の課税価格がある場合に限る。）

③　期限内申告書を提出すべき者がその申告期限前にその申告書を提出しないで死亡した場合

## ２．共同提出等　　　　　　　　　　　　　　　重要度○

（1）　**申告書の共同提出**（法27⑤）

　　　１(2)の規定により申告書を提出すべきものが２人以上ある場合において、その申告書の提出先の税務署長が同一であるときは、これらの者は、その申告書を共同して提出することができる。

（2）　**提出を要しない場合**（法28③④）

　　①　１の規定は、申告期限前に贈与税について決定があった場合には、適用しない。

　　②　特定贈与者からの贈与により相続時精算課税適用財産を相続時精算課税適用者が取得した場合において、その特定贈与者がその贈与をした年の中途において死亡したときは、その財産については、１(1)の規定は適用しない。


（注１）その者が納税管理人の届出をしないで同年１月１日から３月15日までに法施行地に住所及び居所を有しないこととなるときは、その住所及び居所を有しないこととなる日まで

（注２）その者が納税管理人の届出をしないでその期間内に法施行地に住所及び居所を有しないこととなるときは、その住所及び居所を有しないこととなる日まで

# 7-4 相続税法の期限後申告、修正申告及び更正の請求の特則

## 1．相続税の期限後申告、修正申告及び更正の請求の特則　重要度◎

**(1)　期限後申告の特則**（法30①）

　　申告期限後において3(1)から(6)までの事由が生じたため新たに相続税の期限内申告書を提出すべき要件に該当することとなった者は、期限後申告書を提出することができる。

**(2)　修正申告の特則**（法31①②）

　①　任意的修正申告の特則

　　相続税の期限内申告書又は期限後申告書を提出した者（決定を受けた者を含む。）は、3(1)から(6)までの事由が生じたため既に確定した相続税額に不足を生じた場合には、修正申告書を提出することができる。

　②　義務的修正申告の特則

　　①に規定する者は、相続財産法人に係る財産分与又は特別寄与料の額の確定の事由が生じたため既に確定した相続税額に不足を生じた場合には、その事由が生じたことを知った日の翌日から10月以内（注1）に修正申告書を納税地の所轄税務署長に提出しなければならない。

**(3)　更正の請求の特則**（法32①）

　　相続税について申告書を提出した者又は決定を受けた者は、3のいずれかの事由により課税価格及び相続税額が過大となったときは、それぞれの事由が生じたことを知った日の翌日から4月以内に限り、納税地の所轄税務署長に対し、更正の請求をすることができる。

## 2．贈与税の期限後申告、修正申告及び更正の請求の特則　重要度○

**(1)　期限後申告の特則**（法30②）

　　申告期限後において3(1)から(6)までの事由が生じたことにより相続又は遺贈による財産の取得をしないこととなったため新たに贈与税の期限内申告書を提出すべき要件に該当することとなった者は、期限後申告書を提出することができる。

**(2)　任意的修正申告の特則**（法31④）

　　贈与税の期限内申告書又は期限後申告書を提出した者（決定を受けた者を含む。）は、3(1)から(6)までの事由が生じたことにより相続又は遺贈による財産の取得をしないこととなったため既に確定した贈与税額に不足を生じた場合には、修正申告書を提出することができる。

**(3)　更正の請求の特則**（法32①）

　　贈与税について申告書を提出した者又は決定を受けた者は、3のいずれかの事由により課税価格及び贈与税額が過大となったときは、それぞれの事由が生じたことを知った日の翌日から4月以内に限り、納税地の所轄税務署長に対し、更正の請求をすることができる。

## 3．相続税法の特則の事由（法32①）　　重要度◎

(1)　未分割遺産に対する課税の規定により分割されていない財産について民法（寄与分を除く。）の規定による相続分又は包括遺贈の割合に従って課税価格が計算されていた場合において、その後その財産の分割が行われ、共同相続人又は包括受遺者がその分割により取得した財産に係る課税価格がその相続分又は包括遺贈の割合に従って計算された課税価格と異なることとなったこと。

(2)　民法の規定により相続人に異動を生じたこと。

(3)　遺留分侵害額の請求に基づき支払うべき金銭の額が確定したこと。

(4)　遺贈に係る遺言書が発見され、又は遺贈の放棄があったこと。

(5)　物納の条件付許可が取り消される事情が生じたこと。

(6)　(1)から(5)に準ずる事由が生じたこと。

(7)　相続財産法人に係る財産分与又は特別寄与料の額の確定の事由が生じたこと。

(8)　申告期限までに分割されていない財産が申告期限から3年以内（注2）に分割されたことにより、その分割が行われた時以後において配偶者に対する相続税額の軽減の規定を適用して計算した相続税額がその時前において同規定を適用して計算した相続税額と異なることとなったこと（(1)の場合を除く。）。

(9)　被相続人に係る所得税法に規定する国外転出時課税等の特例に係る納税猶予分の所得税を納付することとなったこと。

(10)　贈与税の課税価格計算の基礎に算入した財産のうちに相続又は遺贈により財産を取得した者が相続開始の年において被相続人から受けた贈与により取得した財産の価額で生前贈与加算の規定により相続税の課税価格に加算されるものがあったこと。

⑴　**期限後申告又は任意的修正申告**（法51②一③一）

　　相続税法の特則の規定に基づき期限後申告書又は任意的修正申告書を提出したことにより納付すべき税額に係る延滞税については、法定納期限の翌日からこれらの申告書の提出があった日までの期間は、延滞税の計算の基礎となる期間に算入しない。

⑵　**義務的修正申告**（法50②、31③）

　①　国税通則法の適用

　　　義務的修正申告書に対する国税通則法の適用については、期限内申告書とみなす。

　②　提出を要しない場合

　　　1⑵②の規定は、申告期限前に相続税について更正があった場合には、適用しない。

（注１）その者が納税管理人の届出をしないでその期間内に法施行地に住所及び居所を有しないこととなるときは、その住所及び居所を有しないこととなる日まで

（注２）その期間が経過するまでの間にその財産が分割されなかったことにつき、一定のやむを得ない事情がある場合において、納税地の所轄税務署長の承認を受けたときは、その財産の分割ができることとなった日の翌日から４月以内

（MEMO）

## 7-5 租税特別措置法の期限後申告、修正申告及び更正の請求の特則

---

**1. 相続税の期限後申告、修正申告及び更正の請求の特則**　　　重要度◎

(1) **国等に対して相続財産を贈与した場合等の相続税の非課税等**（措法70②④⑥⑦⑩）

① **修正申告の特則**

　　国等に対して相続財産を贈与した場合等の相続税の非課税等の規定の適用を受けて相続税の期限内申告書を提出した者（相続人及び包括受遺者を含む。）は、その規定の適用を受けた財産について次の事由が生じた場合には、その2年を経過した日の翌日から4月以内に修正申告書を提出し、かつ、その期限内にその修正申告書の提出により納付すべき税額を納付しなければならない。

　イ　特定の公益社団法人等又は認定特定非営利活動法人でその財産の贈与を受けたものが、その贈与があった日から2年を経過した日までに特定の公益社団法人等もしくは認定特定非営利活動法人に該当しないこととなった場合又はその贈与により取得した財産を同日においてなおその公益を目的とする事業の用に供していない場合

　ロ　特定の特定公益信託でその金銭を受け入れたものが、その受入れの日から2年を経過した日までに特定の特定公益信託に該当しないこととなった場合

② **期限後申告の特則**

　　国等に対して相続財産を贈与した場合等の相続税の非課税等の規定の適用を受けた者は、その規定の適用を受けた財産について①イ又はロの事由が生じたことに伴いその財産の価額を相続税の課税価格に算入すべきこととなったことにより、相続税の期限内申告書を提出すべきこととなった場合には、その2年を経過した日の翌日から4月以内に期限後申告書を提出し、かつ、その期限内にその期限後申告書の提出により納付すべき税額を納付しなければならない。

⑵　**小規模宅地等又は特定計画山林の特例**（措法69の4⑤、69の5⑥）

　　相続税について申告書を提出した者又は決定を受けた者は、次のいずれか
の事由により課税価格及び相続税額が過大となったときは、それぞれの事由
が生じたことを知った日の翌日から4月以内に限り、納税地の所轄税務署長
に対し、更正の請求をすることができる。

①　申告期限までに分割されていない特例対象宅地等が申告期限から3年以
　　内（注）に分割された場合その他一定の場合について、その分割が行われ
　　た時以後において小規模宅地等の特例の規定を適用して計算した相続税額
　　がその時前において同規定を適用して計算した相続税額と異なることとな
　　ったこと（相続税の課税価格が異なることとなった場合を除く。）。

②　申告期限までに分割されていない特定計画山林が申告期限から3年以内
　　（注）に分割された場合その他一定の場合について、その分割が行われた
　　時以後において特定計画山林の特例の規定を適用して計算した相続税額が
　　その時前において同規定を適用して計算した相続税額と異なることとなっ
　　たこと（相続税の課税価格が異なることとなった場合を除く。）。

## 2．贈与税の修正申告の特則　　　　　　　　　　　　重要度○

⑴　**住宅取得等資金の贈与を受けた場合の贈与税の非課税**（措法70の2④）

　　新築等をした住宅用家屋を贈与により住宅取得等資金の取得をした日の属
する年の翌年3月15日後遅滞なく特定受贈者の居住の用に供することが確実
であると見込まれることにより住宅取得等資金の贈与を受けた場合の贈与税
の非課税の規定の適用を受けた場合において、その住宅用家屋を同年12月31
日までにその特定受贈者の居住の用に供していなかったときは、その特定受
贈者は、その同年12月31日から2月以内に、同規定の適用を受けた年分の贈
与税についての修正申告書を提出し、かつ、その期限内にその修正申告書の
提出により納付すべき税額を納付しなければならない。

テーマ

7

⑵　**住宅取得等資金の贈与を受けた場合の相続時精算課税の特例**

（措法70の３④）

　　新築等をした住宅用家屋を贈与により住宅取得等資金の取得をした日の属する年の翌年３月15日後遅滞なく特定受贈者の居住の用に供することが確実であると見込まれることにより住宅取得等資金の贈与を受けた場合の相続時精算課税の特例の規定の適用を受けた場合において、その住宅用家屋を同年12月31日までにその特定受贈者の居住の用に供していなかったときは、その特定受贈者は、その同年12月31日から２月以内に、同規定の適用を受けた年分の贈与税についての修正申告書を提出し、かつ、その期限内にその修正申告書の提出により納付すべき税額を納付しなければならない。

⑶　**医療法人の持分の放棄があった場合の贈与税の課税の特例**

（措法70の７の14②）

　　医療法人の持分の放棄があった場合の贈与税の課税の特例の規定の適用を受けた認定医療法人が、厚生労働大臣認定が取り消されたことにより、贈与税が課される場合には、その認定医療法人は、厚生労働大臣認定が取り消された日の翌日から２月以内に、同規定の適用を受けた年分の贈与税についての修正申告書を提出し、かつ、その期限内にその修正申告書の提出により納付すべき税額を納付しなければならない。

## ３．国税通則法の適用（措法70⑨⑩、70の２⑥、70の３⑥、70の７の14②）　　重要度△

　　1⑴及び2の期限後申告書又は修正申告書に対する国税通則法の適用については、期限内申告書とみなす。

（注）その期間が経過するまでの間にその財産が分割されなかったことにつき、一定のやむを得ない事情がある場合において、納税地の所轄税務署長の承認を受けたときは、その財産の分割ができることとなった日の翌日から４月以内

（MEMO）

**7-6** 更正及び決定の特則

---

| 1．相続税法の更正及び決定の特則 | 重要度○ |

(1) **相続財産法人に係る財産分与を受けた者及び特別寄与者に係る更正**（法35①）

　　税務署長は、義務的修正申告書を提出すべき者がその修正申告書を提出しなかった場合においては、課税価格又は相続税額を更正する。

(2) **申告書の提出期限前の更正又は決定**（法35②）

　　税務署長は、次のいずれかの場合においては、申告期限前においても、課税価格又は相続税額もしくは贈与税額の更正又は決定をすることができる。

① 相続税の期限内申告書を提出すべき事由に該当する場合において、本来の申告書の提出義務者の被相続人が死亡した日の翌日から10月を経過したとき

② 年の中途において死亡した者がその年 1 月 1 日から死亡の日までに贈与により取得した財産につき贈与税の期限内申告書を提出すべき事由に該当する場合において、その者が死亡した日の翌日から10月を経過したとき

③ 年の中途において死亡した相続時精算課税適用者がその年 1 月 1 日から死亡の日までに相続時精算課税適用財産を贈与により取得した場合において、その者が死亡した日の翌日から10月を経過したとき

④ 贈与税の期限内申告書を提出すべき者が申告期限前にその申告書を提出しないで死亡した場合において、その申告期限を経過したとき

⑤ 相続財産法人に係る財産分与又は特別寄与料の額の確定の事由が生じたため相続税の期限内申告書又は義務的修正申告書を提出すべき事由に該当する場合において、その事由が生じた日の翌日から10月を経過したとき

(3) **更正の請求の特則に基づく更正又は決定**（法35③）

　　税務署長は、相続税法の特則の規定による更正の請求に基づき更正をした場合において、その請求をした者の被相続人から相続又は遺贈により財産を取得した他の者（相続時精算課税適用財産を贈与により取得した者を含む。以下同じ。）につき次の事由があるときは、その事由に基づき、課税価格又は相続税額の更正又は決定をする。

① 当該他の者が相続税の期限内申告書（期限後申告書及び修正申告書を含む。）を提出し、又は相続税について決定を受けた者である場合において、課税価格又は相続税額がその請求に基づく更正の基因となった事実を基礎として計算した場合における課税価格又は相続税額と異なることとなること。

②　当該他の者が①の者以外の者である場合において、その者につき①の事実を基礎として課税価格及び相続税額を計算することにより、その者が新たに相続税を納付すべきこととなること。

⑷　**相続開始年分の贈与財産に対する更正又は決定**（法35⑤）

　　税務署長は、相続又は遺贈により財産を取得した者が相続開始の年において被相続人から受けた贈与により取得した財産の価額で生前贈与加算の規定により相続税の課税価格に加算されるものを贈与税の課税価格に算入しなかった場合において、相続税法の特則の事由が生じたことにより相続又は遺贈による財産の取得をしないこととなったため新たに贈与税の期限内申告書を提出すべき要件に該当することとなったとき又は既に確定した贈与税額に不足を生じたときは、贈与税の課税価格又は贈与税額の更正又は決定をする。

## 2．租税特別措置法の更正及び決定の特則　　　　重要度△

⑴　**国等に対して相続財産を贈与した場合等の相続税の非課税等**（措法70⑧⑩）

　　国等に対して相続財産を贈与した場合等の相続税の非課税等の規定の適用を受けた贈与財産が公益事業の用に供されなかった場合等の修正申告等の規定により修正申告書又は期限後申告書を提出すべき者がこれらの申告書を提出しなかった場合には、税務署長は更正又は決定を行う。

⑵　**住宅取得等資金の贈与を受けた場合の贈与税の非課税**（措法70の2⑤）

　　住宅取得等資金の贈与を受けた場合の贈与税の非課税の規定の適用を受けることができないこととなった場合において、修正申告書の提出がないときは、税務署長は更正を行う。

⑶　**住宅取得等資金の贈与を受けた場合の相続時精算課税の特例**

（措法70の3⑤）

　　住宅取得等資金の贈与を受けた場合の相続時精算課税の特例の規定の適用を受けることができないこととなった場合において、修正申告書の提出がないときは、税務署長は更正を行う。

⑷　**医療法人の持分の放棄があった場合の贈与税の課税の特例**

（措法70の7の14③）

　　医療法人の持分の放棄があった場合の贈与税の課税の特例の規定の適用を受けた医療法人が贈与税を課されることとなった場合において、修正申告書の提出がないときは、税務署長は更正を行う。

## 7−7　相続時精算課税等に係る贈与税の申告内容の開示等

相続時精算課税等に係る贈与税の申告内容の開示等（法49①③）　　重要度◎

　相続又は遺贈（被相続人からの相続時精算課税適用財産に係る贈与を含む。）により財産を取得した者は、その相続又は遺贈により財産を取得した他の共同相続人等がある場合には、相続税の申告書の提出又は更正の請求に必要となるときに限り、次に掲げる金額（他の共同相続人等が2人以上いる場合にあっては、全ての他の共同相続人等のその金額の合計額）について、その被相続人の死亡の時における住所地等の所轄税務署長に開示の請求をすることができる。

⑴　他の共同相続人等がその被相続人から贈与により取得した相続の開始前3年以内に取得した加算対象贈与財産に係る贈与税の申告書に記載された贈与税の課税価格の合計額

⑵　他の共同相続人等がその被相続人から贈与により取得した相続時精算課税適用財産に係る贈与税の申告書に記載された相続時精算課税に係る贈与税の基礎控除の規定による控除後の贈与税の課税価格の合計額

　なお、その請求があった場合には、税務署長は、その請求をした者に対し、その請求後2月以内にその開示をしなければならない。

(MEMO)

# 7-8　納税地

## 1．原　則　　　　　　　　　　　　　　　　　　　　　　重要度○

(1)　**本来の提出義務者**（法62①②）

①　居住無制限納税義務者、居住制限納税義務者もしくは特定納税義務者

法施行地にある住所地（法施行地に住所を有しないこととなった場合には、居所地）をもって、その納税地とする。

②　非居住無制限納税義務者又は非居住制限納税義務者及び居住無制限納税義務者、居住制限納税義務者もしくは特定納税義務者で法施行地に住所及び居所を有しないこととなるもの

納税地を定めて、納税地の所轄税務署長に申告しなければならない。その申告がないときは、国税庁長官がその納税地を指定し、これを通知する。

(2)　**提出義務の承継者**（法62③）

納税義務者が死亡した場合においては、その者に係る相続税又は贈与税については、その死亡した者の死亡当時の納税地をもって、その納税地とする。

## 2．相続税の特則（法附則3）　　　　　　　　　　　　　重要度◎

相続又は遺贈により財産を取得した者（被相続人から相続時精算課税適用財産を贈与により取得した者を含む。以下同じ。）のその被相続人の死亡の時における住所が法施行地にある場合においては、その財産を取得した者については、当分の間、その納税地は、1(1)の規定にかかわらず、被相続人の死亡の時における住所地とする。

(MEMO)

〔MEMO〕

テーマ

**8**

# 納 付

# 8-1　納付及び還付

## 1．納 付　　　　　　　　　　　　　　　　　　　　　重要度〇

**(1)　国税通則法の納付**（国通法35①②）

① 期限内申告書を提出した者は、その申告書の提出により納付すべき税額に相当する国税を法定納期限までに国に納付しなければならない。

② 次の金額に相当する国税の納税者は、その国税をそれぞれの日までに国に納付しなければならない。

　イ 期限後申告書又は修正申告書に記載した税額

　　……その期限後申告書又は修正申告書を提出した日

　ロ 更正通知書又は決定通知書に記載された納付すべき税額

　　……その更正通知書又は決定通知書が発せられた日の翌日から起算して1月を経過する日

**(2)　相続税法の納付**（法33）

期限内申告書又は義務的修正申告書を提出した者は、申告期限までに、相続税又は贈与税を国に納付しなければならない。

## 2．還 付　　　　　　　　　　　　　　　　　　　　　重要度〇

**(1)　国税通則法の還付**（国通法56）

税務署長等は、還付金等があるときは、遅滞なく、金銭で還付しなければならない。

**(2)　相続税法の還付**（法33の2①④）

税務署長は、相続時精算課税適用財産に係る贈与税額（在外財産に対する贈与税額の控除適用前の税額とし、附帯税に相当する税額を除く。）に相当する金額がある場合において、その金額を相続税額から控除してもなお控除しきれなかった金額があるときは、控除しきれなかった金額（在外財産に対する贈与税額の控除適用後の残額）に相当する税額を還付する。

なお、この規定は、相続税の申告書が提出された場合に限り、適用する。

(MEMO)

## 8-2　連帯納付の義務等

### 1．相続人又は受遺者が2人以上いる場合の連帯納付の義務　（法34①）　重要度◎

　同一の被相続人から相続又は遺贈（相続時精算課税適用財産に係る贈与を含む。以下1、2において同じ。）により財産を取得した全ての者は、その相続又は遺贈により取得した財産に係る相続税について、その受けた利益の価額に相当する金額を限度として、互いに連帯納付の責めに任ずる。

　ただし、次の者の区分に応じ、それぞれの相続税については、この限りでない。

(1)　納税義務者の相続税について、申告期限から5年を経過する日までに税務署長が連帯納付義務者に対し一定の通知を発していない場合におけるその連帯納付義務者……………………………………………その納付すべき相続税

(2)　納税義務者が相続税の延納の許可を受けた場合におけるその納税義務者に係る連帯納付義務者……………………………その延納の許可を受けた相続税

(3)　納税義務者の相続税について納税の猶予がされた場合におけるその納税義務者に係る連帯納付義務者………………………その納税の猶予がされた相続税

### 2．被相続人に係る相続税又は贈与税の連帯納付の義務　（法34②）　重要度○

　同一の被相続人から相続又は遺贈により財産を取得した全ての者は、その被相続人に係る相続税又は贈与税について、その受けた利益の価額に相当する金額を限度として、互いに連帯納付の責めに任ずる。

## 3．贈与、遺贈又は寄附行為により財産を取得した者の 連帯納付の義務 (法34③)

重要度○

相続税又は贈与税の課税価格計算の基礎となった財産につき贈与、遺贈もしく は寄附行為による移転があった場合においては、その贈与もしくは遺贈により財 産を取得した者又はその寄附行為により設立された法人は、次の算式により算出 した相続税又は贈与税について、その受けた利益の価額に相当する金額を限度と して、連帯納付の責めに任ずる。

《算　式》

(1)　相続税

$$贈与等をした者のその財産を課税価格計算の基礎に算入した相続税額 \times \frac{贈与等による移転があった財産の価額}{相続税の課税価格に算入された財産の価額}$$

(2)　贈与税

$$贈与等をした者のその財産を課税価格計算の基礎に算入した贈与税額 \times \frac{贈与等による移転があった財産の価額}{贈与税の課税価格に算入された財産の価額}$$

## 4．財産を贈与した者の連帯納付の義務 (法34④)

重要度○

財産を贈与した者は、次の算式により算出した贈与税について、その財産の価 額に相当する金額を限度として、連帯納付の責めに任ずる。

《算　式》

$$贈与により財産を取得した者のその年分の贈与税額 \times \frac{贈与した財産の価額}{贈与税の課税価格に算入された財産の価額}$$

テーマ

8

テーマ8 納 付 ランク**A**

# 8-3 相続税の延納

## 1. 延納の要件

### (1) 適用要件（法38①）

　　税務署長は、納付の規定により納付すべき相続税額が10万円を超え、かつ、納税義務者について納期限までに、又は納付すべき日に金銭で納付することを困難とする事由がある場合においては、納税義務者の申請により、その納付を困難とする金額として一定の額を限度として、年賦延納の許可をすることができる。

### (2) 担保の徴収（法38④）

　　税務署長は、延納の許可をする場合には、延納税額に相当する担保を徴さなければならない。

　　ただし、延納税額が100万円以下で、かつ、延納期間が3年以下である場合は、この限りでない。

### (3) 延納期間（法38①、措法70の8の2①、70の10①）

① 原 則

　イ　不動産等の割合が10分の5未満である場合

　　　すべての延納相続税額・・・・・・・・・・・・・・・・・・・・・・・・・・・・・・・・ 5年以内

　ロ　不動産等の割合が10分の5以上である場合

　　　不動産等に係る延納相続税額・・・・・・・・・・・・・・・・・・・・・・・・・ 15年以内

　　　動産等に係る延納相続税額・・・・・・・・・・・・・・・・・・・・・・・・・・・ 10年以内

② 特 例

　イ　森林計画立木の割合が10分の2以上であり、かつ、不動産等の割合が10分の5以上である場合

　　　森林計画立木部分の延納相続税額・・・・・・・・・・・・・・・・・・・・ 20年以内

　　　特定森林計画立木部分の延納相続税額・・・・・・・・・・・・・・・ 40年以内

　ロ　不動産等の割合が4分の3以上である場合

　　　不動産等に係る延納相続税額・・・・・・・・・・・・・・・・・・・・・・・・・ 20年以内

③ 延納税額からの制限

延納税額が次の区分に応じ、それぞれの金額未満であるときは、延納の許可をすることができる期間は、延納税額を10万円で除して得た数（1未満切上）に相当する年数を超えることができない。

①イの場合　50万円

①ロの場合　150万円

②イの場合　200万円（特定森林計画立木がある場合は400万円）

②ロの場合　200万円

(4) **延納年割額**（法38②、措法70の8の2②）

① 原 則

延納年割額は、延納税額を延納期間に相当する年数で除して計算した金額（延納税額のうちに延納期間の異なるものがある場合には、延納税額を延納期間の異なるものごとに区分し、それぞれの税額をそれぞれの延納期間に相当する年数で除して計算した金額）とする。

② 特 例

税務署長は、森林計画立木の割合が10分の2以上であるときは、森林計画立木部分の延納相続税額については、納税義務者の申請により、①の規定にかかわらず、その立木のその森林経営計画に基づく伐採の時期及び材積を基礎として納付すべき分納税額を定めることができる。

## 2．延納手続　　　　　　　　　　　　　　重要度〇

(1) **申請手続**（法39①、措法70の8の2⑥）

① 延納の許可を申請しようとする者は、納期限までに、又は納付すべき日に、次の事項を記載した申請書に担保提供関係書類を添付し、これを納税地の所轄税務署長に提出しなければならない。

イ　納期限までに、又は納付すべき日に金銭で納付することを困難とする金額及びその困難とする理由

ロ　延納を求めようとする税額及び期間

ハ　分納税額及びその納期限

ニ　その他一定の事項

② 森林計画立木に係る相続税の延納の特例の適用を受けようとする者は、①の申請書に、一定の書類を添付して、これを納税地の所轄税務署長に提出しなければならない。

テーマ
**8**

⑵ **許可又は却下** （法39②⑤㉓㉔）

① 原 則

　　税務署長は、⑴①の申請書の提出があった場合においては、延納の要件に該当するか否かの調査を行い、その調査に基づき、申請期限の翌日から起算して３月（その調査に３月を超える期間を要すると認めるときは６月）以内（災害その他やむを得ない事由が生じたときは災害等延長期間を加算した期間内）にその申請に係る税額の全部又は一部についてその申請に係る条件もしくはこれを変更した条件により延納の許可をし、又はその申請の却下をする。

② 担保の変更を求める場合

　　税務署長が延納の許可をする場合において、担保が適当でないと認めるときは、変更を求めることができる。

　　なお、税務署長は、担保の変更を求めた場合において、その申請者が通知を受けた日の翌日から起算して20日以内にその変更に係る担保提供関係書類を納税地の所轄税務署長に提出しなかったときは、その申請の却下をすることができる。

⑶ **延納の条件の変更等** （法39㉚）

　　延納の許可を受けた者は、その後の資力の状況の変化等により延納の条件について変更を求めようとする場合においては、その変更を求めようとする条件その他一定の事項を記載した申請書をその延納の許可をした税務署長に提出することができる。

---

**３．延納の取消** （法40②）　　　　　　　　　　　　　　　　**重要度△**

　　税務署長は、延納の許可を受けた者が次の事由に該当したときは、その許可を取り消すことができる。この場合においては、⑶及び⑷に該当したときを除き、あらかじめその者の弁明を聴かなければならない。

⑴ 延納税額の滞納その他延納の条件に違反したとき

⑵ 担保の変更命令に応じなかったとき

⑶ 担保物につき強制換価手続が開始されたとき

⑷ その延納の許可を受けた者が死亡し、その相続人が限定承認をしたとき

---

**４．延納等に係る利子税** （法52①）　　　　　　　　　　　　**重要度△**

　　延納の許可を受けた者は、分納税額を納付する場合においては、納期限又は納付すべき日の翌日からその分納税額の納期限までの期間に応じ、一定の割合を乗じて計算した利子税を、分納税額にあわせて納付しなければならない。

（MEMO）

## 8-4　贈与税の延納

### (1) 適用要件（法38③）

　　税務署長は、納付の規定により納付すべき贈与税額が10万円を超え、かつ、納税義務者について納期限までに、又は納付すべき日に金銭で納付することを困難とする事由がある場合においては、納税義務者の申請により、その納付を困難とする金額として一定の額を限度として、年賦延納の許可をすることができる。

### (2) 担保の徴収（法38④）

　　税務署長は、延納の許可をする場合には、延納税額に相当する担保を徴さなければならない。

　　ただし、延納税額が100万円以下で、かつ、延納期間が3年以下である場合は、この限りでない。

### (3) 延納期間（法38③）

　　すべての延納贈与税額・・・・・・・・・・・・・・・・・・・・・・・・・・・・・・・・・・・・・・・・ 5年以内

### (1) 申請手続（法39①㉙）

　　延納の許可を申請しようとする者は、納期限までに、又は納付すべき日に、次の事項を記載した申請書に担保提供関係書類を添付し、これを納税地の所轄税務署長に提出しなければならない。

①　納期限までに、又は納付すべき日に金銭で納付することを困難とする金額及びその困難とする理由

②　延納を求めようとする税額及び期間

③　分納税額及びその納期限

④　その他一定の事項

### (2) 許可又は却下（法39②⑤㉓㉔㉙）

① 原　則

　　税務署長は、(1)の申請書の提出があった場合においては、延納の要件に該当するか否かの調査を行い、その調査に基づき、申請期限の翌日から起算して3月（その調査に3月を超える期間を要すると認めるときは6月）以内（災害その他やむを得ない事由が生じたときは災害等延長期間を加算した期間内）にその申請に係る税額の全部又は一部についてその申請に係る条件もしくはこれを変更した条件により延納の許可をし、又はその申請の却下をする。

②　担保の変更を求める場合

　　税務署長が延納の許可をする場合において、担保が適当でないと認める
ときは、変更を求めることができる。

　　なお、税務署長は、担保の変更を求めた場合において、その申請者が通
知を受けた日の翌日から起算して20日以内にその変更に係る担保提供関係
書類を納税地の所轄税務署長に提出しなかったときは、その申請の却下を
することができる。

(3)　**延納の条件の変更等**（法39㉚）

　　延納の許可を受けた者は、その後の資力の状況の変化等により延納の条件
について変更を求めようとする場合においては、その変更を求めようとする
条件その他一定の事項を記載した申請書をその延納の許可をした税務署長に
提出することができる。

## 3．延納の取消 （法40②）　　　重要度△

　　税務署長は、延納の許可を受けた者が次の事由に該当したときは、その許可を
取り消すことができる。この場合において、(3)及び(4)に該当したときを除き、
あらかじめその者の弁明を聴かなければならない。

(1)　延納税額の滞納その他延納の条件に違反したとき

(2)　担保の変更命令に応じなかったとき

(3)　担保物につき強制換価手続が開始されたとき

(4)　その延納の許可を受けた者が死亡し、その相続人が限定承認をしたとき

## 4．延納等に係る利子税 （法52①）　　　重要度△

　　延納の許可を受けた者は、分納税額を納付する場合においては、納期限又は納
付すべき日の翌日からその分納税額の納期限までの期間に応じ、一定の割合を乗
じて計算した利子税を、分納税額にあわせて納付しなければならない。

テーマ

**8**

## 8−5　物　納

**(1)　適用要件**（法41①）

　　税務署長は、納税義務者について納付の規定により納付すべき相続税額を延納によっても金銭で納付することを困難とする事由がある場合においては、納税義務者の申請により、その納付を困難とする金額として一定の額を限度として、物納の許可をすることができる。

　　この場合において、物納財産の性質、形状等によりその一定の額を超える価額の物納財産を収納することについて、税務署長においてやむを得ない事情があると認めるときは、その一定の額を超えて物納の許可をすることができる。

**(2)　物納に充てることができる財産**（法41②④）

① 　物納に充てることができる財産は、納税義務者の課税価格計算の基礎となった財産（その財産により取得した財産を含み、相続時精算課税適用財産を除く。）で法施行地にあるもののうち次のもの（管理処分不適格財産を除く。）とする。

　イ　不動産及び船舶

　ロ　次の有価証券

　　(イ) 国債証券及び地方債証券

　　(ロ) 社債券、株券及び証券投資信託又は貸付信託の受益証券

　　(ハ) 上場されている有価証券で一定のもの

　ハ　動産

② 　物納劣後財産を物納に充てることができる場合

　　①の財産のうち物納劣後財産を物納に充てることができる場合は、税務署長において特別の事情があると認める場合を除くほか、それぞれ①の財産のうち物納劣後財産に該当しないもので納税義務者が物納の許可の申請の際現に有するもののうちに適当な価額のものがない場合に限る。

**(3)　物納に充てることができる順位**（法41⑤、措法70の12①）

　①　原　則

　　　(2)①ロ(ロ)の財産（上場されているものその他の換価の容易なものとして一定のものを除く。以下①において同じ。）又は(2)①ハの財産を物納に充てることができる場合は、税務署長において特別の事情があると認める場合を除くほか、(2)①ロ(ロ)の財産については(2)①イ及びロの財産のうち換価の容易なものとして一定のもの、(2)①ハの財産については(2)①イ及びロの財産で納税義務者が物納の許可の申請の際現に有するもののうちに適当な価額のものがない場合に限る。

　②　特　例

　　　税務署長は、納税義務者が物納に充てようとする財産が特定登録美術品であるときは、その特定登録美術品については、納税義務者の申請により、①の規定にかかわらず、物納を許可することができる。

## 2．物納手続　　重要度○

**(1)　申請手続**（法42①、措法70の12②）

　①　物納の許可を申請しようとする者は、納期限までに、又は納付すべき日に、次の事項を記載した申請書に物納手続関係書類を添付し、これを納税地の所轄税務署長に提出しなければならない。

　　イ　金銭で納付することを困難とする金額及びその困難とする事由

　　ロ　物納を求めようとする税額

　　ハ　物納に充てようとする財産の種類及び価額

　　ニ　その他一定の事項

　②　1(3)②の規定の適用を受けようとする者は、①の申請書に、特定登録美術品に関する事項を記載した書類を添付して、これを納税地の所轄税務署長に提出しなければならない。

**(2)　許可又は却下**（法42②⑯⑰⑱㉚）

　①　原　則

　　　税務署長は、(1)①の申請書の提出があった場合においては、物納の要件に該当するか否かの調査を行い、その調査に基づき、申請期限の翌日から起算して3月（物納財産が多数であること等によりその調査に3月を超える期間を要すると認めるときは6月、積雪等によりその調査に6月を超える期間を要すると認めるときは9月）以内（災害その他やむを得ない事由が生じたときは災害等延長期間を加算した期間内）にその申請に係る税額の全部又は一部について物納財産ごとにその申請に係る物納の許可をし、又はその申請の却下をする。

② 条件付許可

　　税務署長は、物納の許可をする場合において、物納財産の性質その他の事情に照らし必要があると認めるときは、必要な限度においてその許可に条件を付することができる。

　　この場合において、その許可に付した条件を記載した書面により、これをその申請者に通知する。

## ３．物納の許可の取消し　　重要度△

### (1) 条件の履行を求める場合（法48①）

　　税務署長は、２(2)②の規定により条件（物納財産について一定の事項の履行を求めるものに限る。）を付して物納の許可をした場合において、その一定の事項の履行を求めるときは、その条件に従って期限を定めて、これを申請者に通知する。

### (2) 物納の許可の取消し（法48②）

　　税務署長は、(1)の期限までに一定の事項の履行がない場合には、２(2)②の通知をした日の翌日から起算して５年を経過する日までに(1)の通知をしたときに限り、物納の許可を取り消すことができる。

## ４．物納財産の収納価額等　　重要度△

### (1) 収納価額（法43①）

　　物納財産の収納価額は、課税価格計算の基礎となったその財産の価額による。

　　ただし、税務署長は、収納の時までにその財産の状況に著しい変化が生じたときは、収納の時の現況によりその財産の収納価額を定めることができる。

### (2) 納付時期（法43②）

　　物納の許可を受けた税額に相当する相続税は、物納財産の引渡し、所有権の移転の登記その他法令により第三者に対抗することができる要件を充足した時において、納付があったものとする。

### (3) 過誤納額（法43③）

　　物納の許可を受けて相続税を納付した場合において、その相続税について、過誤納額があったときは、その物納に充てた財産は、納税義務者の申請により、これをその過誤納額の還付に充てることができる。

　　ただし、その財産が換価されていたとき、公用もしくは公共の用に供されており、もしくは供されることが確実であると見込まれるとき、又はその過誤納額がその財産の収納価額の２分の１に満たないときは、この限りでない。

## 5．物納申請の全部又は一部の却下に係る延納 (法44) ┃ 重要度○

　税務署長は、延納により金銭で納付することを困難とする事由がないと認めた
ことから物納の申請の却下をしたとき、又は納付を困難とする金額がその申請に
係る金額より少ないと認めたことからその申請に係る相続税額の一部についてそ
の申請の却下をしたときは、これらの却下に係る相続税額につき、これらの却下
の日の翌日から起算して20日以内にされたその申請者の申請により、その相続税
額のうち金銭で一時に納付することを困難とする金額として一定の額を限度とし
て、延納の許可をすることができる。

## 6．物納申請の却下に係る再申請 (法45) ┃ 重要度○

　税務署長は、物納の許可の申請に係る物納財産が管理処分不適格財産又は物納
劣後財産に該当することからその申請の却下をしたときは、その却下の日の翌日
から起算して20日以内にされたその申請者の申請（その物納財産以外の物納財産に
係る申請に限る。）により、納付を困難とする金額として一定の額を限度として、
物納の許可をすることができる。

## 7．物納等に係る利子税 (法53①②) ┃ 重要度△

　物納の許可を受けた者は、その物納に係る相続税額の納期限又は納付すべき日
の翌日から納付があったものとされた日までの期間に応じ、一定の割合を乗じて
計算した利子税を納付しなければならない。

　ただし、一定の期間に対応する部分の利子税は納付することを要しない。

# 8−6　物納の撤回

(1)　**適用要件**（法46①）

　　税務署長は、物納の許可をした不動産のうちに賃借権等の目的となっている不動産がある場合において、その物納の許可を受けた者が、その後物納に係る相続税を、金銭で一時に納付し、又は２の延納の許可を受けて納付するときは、その不動産については、収納後においても、その物納の許可を受けた日の翌日から起算して１年以内にされたその者の申請により、その物納の撤回の承認をすることができる。

　　ただし、その不動産が換価されていたとき、又は公用もしくは公共の用に供されておりもしくは供されることが確実であると見込まれるときは、この限りでない。

(2)　**手　続**（法46②③）

　①　申請手続

　　　物納の撤回を申請しようとする者は、一定の申請書を納税地の所轄税務署長に提出しなければならない。

　②　承認又は却下

　　　税務署長は、①の申請書の提出があった場合においては、物納の撤回の要件に該当するか否かの調査を行い、その調査に基づき、その申請書の提出があった日の翌日から起算して３月以内にその申請の承認をし、又はその申請の却下をする。

(1)　**適用要件**（法47①）

　　税務署長は、物納の許可を受けた者が物納の撤回の承認を受けようとする場合において、その物納の許可を受けた者の申請により、その撤回に係る相続税額につき、その相続税額のうち金銭で一時に納付することを困難とする金額として一定の額を限度として、延納の許可をすることができる。

(2)　**手　続**（法47②③⑪）

　①　申請手続

　　　(1)の延納の許可を申請しようとする者は、１(2)①の申請書に担保提供関係書類を添付し、これを納税地の所轄税務署長に提出しなければならない。

② 許可又は却下

　　税務署長は、①の申請書の提出があった場合においては、その申請の基因となる物納の撤回の申請の却下をする場合を除き、物納の撤回及び物納の撤回に係る延納の要件に該当するか否かの調査を行い、その調査に基づき、申請期限の翌日から起算して3月（その調査に3月を超える期間を要すると認めるときは6月）以内（災害その他やむを得ない事由が生じたときは災害等延長期間を加算した期間内）にその申請に係る税額の全部又は一部についてその申請に係る条件もしくはこれを変更した条件により物納の撤回に係る延納の許可をし、又はその申請の却下をする。

## 3．物納の撤回に係る利子税 　　　　　　　　　　　　　　　　重要度△

(1)　**原　則**（法53③）

　　物納の撤回の承認を受けた者は、相続税額の納期限又は納付すべき日の翌日からその相続税額を納付した日までの期間等に応じ、一定の割合を乗じて計算した利子税を、その物納の撤回に係る相続税額にあわせて納付しなければならない。

(2)　**特　例**（法53⑤）

　　物納に係る相続税の納付があったものとされた日後にその物納の撤回の承認があったときは、同日の翌日からその承認があった日までの期間に対応する部分の利子税は、納付することを要しないものとし、その承認に係る不動産につきその期間内に国が取得すべき賃貸料その他の使用料は、返還することを要しないものとする。

# 8-7 特定の延納税額に係る物納

## 1. 特定の延納税額に係る物納 （法48の2①）　　　　重要度◎

　税務署長は、延納の許可を受けた者について、延納税額から納期限が到来している分納税額を控除した残額（以下「特定物納対象税額」という。）を変更された条件による延納によっても金銭で納付することを困難とする事由が生じた場合においては、その者の申請により、特定物納対象税額のうちその納付を困難とする金額として一定の額を限度として、物納の許可をすることができる。

## 2. 手　続　　　　　　　　　　　　　　　　　　　　重要度○

### (1) 申請手続 （法48の2②）

　1の物納（以下「特定物納」という。）の許可を受けようとする者は、申告期限の翌日から起算して10年を経過する日までに、次の事項を記載した申請書に物納手続関係書類を添付し、これを納税地の所轄税務署長に提出しなければならない。

① 特定物納対象税額

② 金銭で納付することを困難とする金額及びその困難とする事由

③ 特定物納の許可を求めようとする税額

④ その他一定の事項

### (2) 許可又は却下 （法48の2③⑥）

　税務署長は、(1)の申請書の提出があった場合においては、特定物納の要件に該当するか否かの調査を行い、その調査に基づき、その提出があった日の翌日から起算して3月（物納財産が多数であること等によりその調査に3月を超える期間を要すると認めるときは6月、積雪等によりその調査に6月を超える期間を要すると認めるときは9月）以内（災害その他やむを得ない事由が生じたときは災害等延長期間を加算した期間内）にその申請に係る特定物納の許可を求めようとする税額の全部又は一部についてその特定物納に係る財産ごとにその特定物納の許可をし、又はその申請の却下をする。

## 3. 収納価額 （法48の2⑤）　　　　　　　　　　　重要度○

　特定物納に係る財産の収納価額は、その特定物納に係る申請の時の価額による。

　ただし、税務署長は、収納の時までにその財産の状況に著しい変化が生じたときは、収納の時の現況によりその財産の収納価額を定めることができる。

（MEMO）

(MEMO)

テーマ

9

# 納　税　猶　予

## 9−1　農地等を贈与した場合の贈与税の納税猶予及び免除

---

### 1．農地等を贈与した場合の贈与税の納税猶予及び免除
（措法70の4①）　　　　　　　　　　　重要度◎

　　農業を営む個人で一定の者（以下「贈与者」という。）が、農地等をその贈与者の推定相続人で一定の者のうちの一人の者に贈与した場合（その贈与者が既にこの規定の適用に係る贈与をしている場合を除く。）には、贈与税の期限内申告書の提出により納付すべき贈与税の額のうち、納税猶予分の贈与税については、申告期限までに納税猶予分の贈与税額に相当する担保を提供した場合に限り、納付の規定にかかわらず、その贈与者の死亡の日まで、その納税を猶予する。

### 2．相続時精算課税の適用除外 （措法70の4③）　　重要度○

　　特定贈与者からの贈与により取得した農地等について1の規定の適用を受ける場合には、その農地等については、相続時精算課税の規定は適用しない。

### 3．手　続 （措法70の4㉖〜㉘）　　　　　　　　　重要度◎

⑴　1の規定は、贈与税の期限内申告書に、次の事項を記載した書類を添付しない場合には、適用しない。
　　①　この規定の適用を受けようとする旨
　　②　農地等の明細
　　③　納税猶予分の贈与税額の計算に関する明細
　　④　その他一定の事項
⑵　受贈者は、納税猶予分の贈与税額の全部につき猶予期限が確定するまでの間、申告期限の翌日から起算して3年を経過するごとの日までに、継続届出書を納税地の所轄税務署長に提出しなければならない。
⑶　⑵の規定の適用については、税務署長がやむを得ない事情があると認めるときは、この限りでない。

## 4．納税猶予期限　重要度○

(1) **原　則**（措法70の4①）

　　贈与者の死亡の日

(2) **特　則**（措法70の4①④⑤㉚）

　① 納税猶予分の贈与税額の全部について猶予期限が確定する場合

　　受贈者が贈与者の死亡の日前において次のいずれかに該当することとなった場合には、それぞれの日から2月を経過する日

　　イ 譲渡等（収用交換等を除く。）があった農地等の面積が100分の20を超える場合‥‥‥‥‥‥‥‥‥‥‥‥‥‥‥‥‥ 事実が生じた日

　　ロ 農業経営を廃止した場合‥‥‥‥‥‥‥‥‥‥‥‥‥ 廃止の日

　　ハ 贈与者の推定相続人に該当しないこととなった場合

　　‥‥‥‥‥‥‥‥‥‥‥‥‥ 該当しないこととなった日

　　ニ 継続届出書の提出がなかった場合‥‥‥‥‥‥ 届出期限の翌日

　② 納税猶予分の贈与税額の一部について猶予期限が確定する場合

　　受贈者が贈与者の死亡の日前において次のいずれかに該当することとなった場合には、納税猶予分の贈与税額のうち一定の贈与税については、それぞれの日から2月を経過する日

　　イ 譲渡等があった場合（①イの場合を除く。）‥‥‥‥ 譲渡等があった日

　　ロ 申告期限後10年を経過する日において受贈者の農業の用に供されていない準農地がある場合‥‥‥‥‥‥‥‥‥ 10年を経過する日

　　ハ 都市営農農地等について、買取りの申出等があったとき

　　‥‥‥‥‥‥‥‥‥‥‥‥‥買取りの申出等があった日

　　ニ 農地等が特定市街化区域農地等に該当することとなった場合

　　‥‥‥‥‥‥‥‥‥‥‥‥‥ 告示があった日

## 5．納税猶予額の免除（措法70の4㉞）　重要度○

　贈与者が死亡したとき又はその贈与者の死亡の時以前に受贈者が死亡したときは、納税猶予分の贈与税額は、免除する。

## 6．利子税の納付（措法70の4㉟）　重要度○

　受贈者は、4(2)の場合には、申告期限の翌日から納税猶予期限までの期間に応じ、一定の割合を乗じて計算した利子税を、贈与税にあわせて納付しなければならない。

**テーマ9**

## 7. 営農困難時貸付けの特例 （措法70の4㉒） 重要度△

1の規定の適用を受ける受贈者が、障害、疾病等の事由により農地等を農業の用に供することが困難な状態となった場合（8の貸付けができない場合に限る。）において、営農困難時貸付けを行ったときは、その営農困難時貸付けを行った日から2月以内に、一定の届出書を納税地の所轄税務署長に提出したときに限り、権利設定はなかったものと、農業経営は廃止していないものとみなす。

## 8. 贈与税の納税猶予を適用している場合の特定貸付けの特例 （措法70の4の2①②） 重要度△

(1) 猶予適用者が、贈与者の死亡の日前に農地等のうち農地又は採草放牧地の全部又は一部について特定貸付けを行い、その特定貸付けを行った日から2月以内に、一定の届出書を納税地の所轄税務署長に提出した場合には、賃借権等の設定はなかったものと、農業経営は廃止していないものとみなす。

(2) (1)の猶予適用者とは、1の規定の適用を受ける受贈者をいう。

## 9. 農地等の贈与者が死亡した場合の相続税の課税の特例 重要度◎
（措法70の5①）

1の規定により贈与税について納税の猶予があった場合において、その農地等の贈与者が死亡したとき（その死亡の時以前に受贈者が死亡した場合を除く。）は、その贈与者の死亡に係る相続税については、その農地等の受贈者がその農地等をその贈与者から相続（その受贈者が相続の放棄をした場合には、遺贈）により取得したものとみなす。

この場合において、その相続税の課税価格の計算の基礎に算入すべきその農地等の価額は、その死亡の日における価額による。

## 10.　用語の意義　　　　　重要度△

(1)　**贈与者**（措法70の4①、措令40の6①）

　　農地等の贈与をした日まで引き続き3年以上農業を営んでいた個人で次の場合に該当する者以外の者とする。

　①　その贈与の年の前年以前において、その農業の用に供していた1に規定する農地を推定相続人に対し贈与している場合であってその農地が相続時精算課税の規定の適用を受けるものであるとき。

　②　その贈与の年において、その贈与以外の贈与により農地及び採草放牧地並びに準農地の贈与をしている場合

(2)　**受贈者**（措令40の6⑥）

　　贈与者の推定相続人で、次の要件の全てに該当する個人であることにつき農業委員会が証明をした個人とする。

　①　農地等を取得した日における年齢が18歳以上であること。

　②　農地等を取得した日まで引き続き3年以上農業に従事していたこと。

　③　農地及び採草放牧地を取得した日後速やかに農業経営を行うと認められること。

　④　証明の時において効率的かつ安定的な農業経営の基準として農林水産大臣が定めるものを満たす農業経営を行っていること。

(3)　**農地等**（措法70の4①、措令40の6②③⑤）

　　農業の用に供している次の土地をいう。

　①　農地（特定市街化区域農地等及びその他一定のものを除く。）の全部

　②　採草放牧地（特定市街化区域農地等に該当するものを除く。）のうち、その面積の合計の3分の2以上のもの

　③　①、②とともに取得した準農地のうち、その面積の合計の3分の2以上のもの

(4)　**特定市街化区域農地等**（措法70の4②三）

　　市街化区域内に所在する農地又は採草放牧地で一定の区域内に所在するもの（都市営農農地等を除く。）をいう。

(5)　**都市営農農地等**（措法70の4②四）

　　次の農地又は採草放牧地で一定の区域内に所在するものをいう。

　①　生産緑地地区内にある農地又は採草放牧地（買取りの申出がされたもの及び特定生産緑地の指定がされなかったもの等を除く。）

　②　田園住居地域内にある農地（①を除く。）

テーマ 9

(6) **納税猶予分の贈与税額**（措法70の4①、措令40の6⑧）

①の金額から②の金額を控除した金額をいう。

① 農地等の贈与があった日の属する年分の納付すべき贈与税の額

② 農地等の贈与がなかったものとして計算した場合のその年分の納付すべき贈与税の額

(MEMO)

## 9-2　農地等についての相続税の納税猶予及び免除等

### 1．農地等についての相続税の納税猶予及び免除等

（措法70の6①）　　**重要度◎**

　　農業を営んでいた個人で一定の者（以下「被相続人」という。）の相続人で一定の
もの（以下「農業相続人」という。）が、被相続人からの相続又は遺贈により農地等
の取得（農地等の贈与者が死亡した場合の相続税の課税の特例の規定により相続又は遺贈
により取得したとみなされる場合の取得を含む。）をした場合には、相続税の期限内申
告書の提出により納付すべき相続税の額のうち、納税猶予分の相続税については、
申告期限までに納税猶予分の相続税額に相当する担保を提供した場合に限り、納
付の規定にかかわらず、納税猶予期限まで、その納税を猶予する。

### 2．農地等が未分割である場合 （措法70の6⑤）　　**重要度○**

　　申告期限までに、農地等の全部又は一部が分割されていない場合における1の
規定の適用については、その分割されていない農地等は、相続税の期限内申告書
に1の規定の適用を受ける旨の記載をすることができないものとする。

### 3．手　続 （措法70の6㉛～㉝）　　**重要度◎**

⑴　1の規定は、相続税の期限内申告書に、①の事項の記載がない場合又は②
　の事項を記載した書類の添付がない場合には、適用しない。
　①　この規定の適用を受けようとする旨
　②イ　農地等の明細
　　ロ　納税猶予分の相続税額の計算に関する明細
　　ハ　その他一定の事項
⑵　農業相続人は、納税猶予分の相続税額の全部につき猶予期限が確定するま
　での間、申告期限の翌日から起算して3年を経過するごとの日までに、継続
　届出書を納税地の所轄税務署長に提出しなければならない。
⑶　⑵の規定の適用については、税務署長がやむを得ない事情があると認める
　ときは、この限りでない。

## 4．納税猶予期限　　　　　　　　　　　　　　　　　重要度○

(1)　**原　　則**（措法70の6①⑥）

　①　相続又は遺贈により特例農地等の取得をした日において特例農地等のうちに次のものを有する農業相続人の区分に応じ、それぞれの日をいう。

　　イ　都市営農農地等を有する農業相続人……………………………死亡の日

　　ロ　全てが市街化区域内農地等である農業相続人（一定の農業相続人を除く。）
　　　　……死亡の日又は申告期限の翌日から20年を経過する日のいずれか早い日

　　ハ　イ及びロ以外の農業相続人
　　　　……死亡の日（一定の場合には、死亡の日又は申告期限の翌日から20年を経過する日のいずれか早い日）

　②　①に規定する日前に、特例農地等の全部につき贈与税の納税猶予に係る贈与があった場合……………………………………………… 贈与があった日

　③　①に規定する日前に、特例農地等の一部につき贈与税の納税猶予に係る贈与があった場合

　　イ　贈与があった特例農地等に係る相続税………………… 贈与があった日

　　ロ　贈与がなかった特例農地等に係る相続税
　　　　……………………………………… 贈与があった日から2月を経過する日

(2)　**特　　則**（措法70の6①⑦⑧㉟）

　①　納税猶予分の相続税額の全部について猶予期限が確定する場合
　　　農業相続人が(1)の日のうちいずれか早い日前において次のいずれかに該当することとなった場合には、それぞれの日から2月を経過する日

　　イ　譲渡等（収用交換等を除く。）があった特例農地等の面積が100分の20を超える場合……………………………………………… 事実が生じた日

　　ロ　農業経営を廃止した場合…………………………………… 廃止の日

　　ハ　継続届出書の提出がなかった場合……………… 届出期限の翌日

② 納税猶予分の相続税額の一部について猶予期限が確定する場合

　農業相続人が⑴の日のうちいずれか早い日前において次のいずれかに該当することとなった場合には、納税猶予分の相続税の額のうち一定の相続税については、それぞれの日から2月を経過する日

　イ　譲渡等があった場合（①イの場合を除く。）‥‥‥‥‥ 譲渡等があった日
　ロ　申告期限後10年を経過する日において農業相続人の農業の用に供されていない準農地がある場合‥‥‥‥‥‥‥‥‥‥ 10年を経過する日
　ハ　都市営農農地等について、買取りの申出等があったとき
　　　‥‥‥‥‥‥‥‥‥‥‥‥‥‥‥‥‥‥ 買取りの申出等があった日
　ニ　特例農地等が特定市街化区域農地等に該当することとなった場合
　　　‥‥‥‥‥‥‥‥‥‥‥‥‥‥‥‥‥‥‥‥‥‥ 告示があった日

## 5．納税猶予額の免除 （措法70の6㊴） 重要度○

　1の適用を受ける農業相続人が次のいずれかに該当することとなった場合（都市営農農地等を有する農業相続人にあっては、⑴から⑶まで。）は、それぞれの相続税は、免除する。

　⑴　農業相続人が死亡した場合‥‥‥‥‥‥‥‥‥‥ 納税猶予分の相続税額
　⑵　特例農地等の全部につき贈与税の納税猶予に係る贈与をした場合
　　　‥‥‥‥‥‥‥‥‥‥‥‥‥‥‥‥‥‥‥ 納税猶予分の相続税額
　⑶　特例農地等の一部につき贈与税の納税猶予に係る贈与をした場合
　　　‥‥‥‥‥‥‥‥‥ その贈与した部分に対応する納税猶予分の相続税額
　⑷　申告期限の翌日から20年を経過した場合（一定の市街化区域内農地等に限る。）‥‥‥‥‥‥‥‥‥‥‥‥ 納税猶予分の相続税額のうち一定の金額

## 6．利子税の納付 （措法70の6㊵） 重要度○

　農業相続人は、4⑴③ロ及び⑵の場合には、申告期限の翌日から納税猶予期限までの期間に応じ、一定の割合を乗じて計算した利子税を、相続税にあわせて納付しなければならない。

## 7．営農困難時貸付けの特例 （措法70の６⑱）　重要度△

　　１の規定の適用を受ける農業相続人が、障害、疾病等の事由により特例農地等を農業の用に供することが困難な状態となった場合（８の貸付けができない場合に限る。）において、営農困難時貸付けを行ったときは、その営農困難時貸付けを行った日から２月以内に、一定の届出書を納税地の所轄税務署長に提出したときに限り、権利設定はなかったものと、農業経営は廃止していないものとみなす。

## 8．相続税の納税猶予を適用している場合の特定貸付けの特例 （措法70の６の２①）　重要度△

　　１の規定の適用を受ける農業相続人が、納税猶予期限までに特例農地等（市街化区域内農地等を除く。）のうち農地又は採草放牧地の全部又は一部について特定貸付けを行い、その特定貸付けを行った日から２月以内に、一定の届出書を納税地の所轄税務署長に提出した場合には、賃借権等の設定はなかったものと、農業経営は廃止していないものとみなす。

## 9．相続税の納税猶予を適用している場合の都市農地の貸付けの特例 （措法70の６の４①）　重要度△

　　１の規定の適用を受ける農業相続人が、納税猶予期限までに特例農地等（生産緑地地区内にある農地であって買取りの申出がされたもの等を除く。）の全部又は一部について認定都市農地貸付け又は農園用地貸付けを行い、これらの貸付けを行った日から２月以内に、一定の届出書を納税地の所轄税務署長に提出した場合には、賃借権等の設定はなかったものと、農業経営は廃止していないものとみなす。

## 10．用語の意義　重要度△

(1)　**農業相続人** （措法70の６①、措令40の７②）

　　被相続人の相続人で、相続税の申告期限までに農業経営を開始し、その後引き続きその農業経営を行うと認められる者であることにつき農業委員会が証明した者とする。

(2)　**被相続人** （措法70の６①、措令40の７①）

　　農業を営んでいた個人で、次のいずれかに該当する者とする。

①　生前に有していた農地及び採草放牧地につきその死亡の日まで農業を営んでいた個人

②　農地等を贈与した場合の贈与税の納税猶予及び免除の規定の適用に係る贈与をした個人（その贈与に係る贈与税が免除される場合に限る。）

テーマ
9

(3) **農地等**（措法70の6①、措令40の7③）

　農業の用に供している次の土地をいう。

　① 　農地（特定市街化区域農地等及びその他一定のものを除く。）

　② 　採草放牧地（特定市街化区域農地等に該当するものを除く。）

　③ 　①、②とともに取得した準農地

(4) **特定市街化区域農地等**（措法70の4②三）

　市街化区域内に所在する農地又は採草放牧地で一定の区域内に所在するもの（都市営農地等を除く。）をいう。

(5) **都市営農地等**（措法70の4②四）

　次の農地又は採草放牧地で一定の区域内に所在するものをいう。

　① 　生産緑地地区内にある農地又は採草放牧地（買取りの申出がされたもの及び特定生産緑地の指定がされなかったもの等を除く。）

　② 　田園住居地域内にある農地（①を除く。）

(6) **市街化区域内農地等**（措法70の6⑥）

　市街化区域内に所在する農地又は採草放牧地をいう。

(7) **特例農地等**（措法70の6①）

　農地等で相続税の期限内申告書にこの規定の適用を受けようとする旨の記載があるものをいう。

(8) **納付税額**（措法70の6②）

　次の者の区分に応じ、原則として、次の金額とする。

　① 　農業相続人以外の者

　　相続又は遺贈により財産の取得をしたすべての者に係る相続税の課税価格（注）の計算の基礎に算入すべき納税猶予の適用を受ける者の特例農地等の価額は、農業投資価格を基準として計算した価額であるものとして算出した相続税額

　② 　農業相続人

　　次の金額の合計額

　　イ 　相続又は遺贈により財産の取得をしたすべての者に係る相続税の総額からそのすべての者が①の者に該当するものとして計算した場合のそのすべての者に係る①の金額の合計額を控除した金額

　　ロ 　農業相続人が①の者に該当するものとして計算した場合のその農業相続人に係る①の金額

(9) **納税猶予分の相続税額**（措法70の6③）

　原則として農業相続人に係る(8)②イの金額をいう。

（注）被相続人からの相続の開始前3年以内の贈与財産及び相続時精算課税適用財産の
　　　価額を相続税の課税価格に加算した後の相続税の課税価格とみなされた金額

## 9−3 山林についての相続税の納税猶予及び免除

### 1．山林についての相続税の納税猶予及び免除（措法70の6の6①） 重要度◎

　特定森林経営計画が定められている区域内に存する山林（立木又は土地をいう。
以下同じ。）を有していた個人として一定の者（以下「被相続人」という。）から相続
又は遺贈により特例施業対象山林の取得をした林業経営相続人が、相続税の期限
内申告書の提出により納付すべき相続税の額のうち、納税猶予分の相続税につい
ては、申告期限までに納税猶予分の相続税額に相当する担保を提供した場合に限
り、納付の規定にかかわらず、その林業経営相続人の死亡の日まで、その納税を
猶予する。

### 2．山林が未分割である場合（措法70の6の6⑧） 重要度○

　1の規定は、申告期限までに、山林の全部又は一部が分割されていない場合に
は、適用しない。

### 3．適用関係（措法70の6の6⑨） 重要度◎

　1の規定は、被相続人から相続又は遺贈により財産の取得をした者がその財産
について特定計画山林の特例の適用を受けた場合には、適用しない。

### 4．手　続（措法70の6の6⑩⑪⑱） 重要度◎

(1)　1の規定は、相続税の期限内申告書に、①の事項の記載がない場合又は②
　の書類の添付がない場合には、適用しない。
　①　この規定の適用を受けようとする旨
　②イ　特例施業対象山林の明細
　　ロ　納税猶予分の相続税額の計算に関する明細
　　ハ　その他一定の事項
(2)　林業経営相続人は、被相続人の死亡の日の翌日から猶予中相続税額の全部
　につき猶予期限が確定する日までの間に経営報告基準日が存する場合には、
　届出期限までに、継続届出書を納税地の所轄税務署長に提出しなければなら
　ない。
(3)　(2)の規定の適用については、税務署長がやむを得ない事情があると認める
　ときは、この限りでない。

## 5．納税猶予期限　　　　　　　　　　　　　　重要度○

(1) **原　則**（措法70の 6 の 6 ①）

林業経営相続人の死亡の日

(2) **特　則**（措法70の 6 の 6 ③④⑬）

① 猶予中相続税額の全部について猶予期限が確定する場合

次のいずれかに該当することとなった場合には、それぞれの日から 2 月を経過する日

イ　譲渡等（収用交換等を除く。）又は路網未整備等があった特例山林に係る土地の面積が100分の20を超える場合

…農林水産大臣等から林業経営相続人の納税地の所轄税務署長に通知があった日

ロ　山林の経営を廃止した場合・・・・・・・・・・・・・・・・・・・・・・・・・・・・・・・・・廃止の日

ハ　継続届出書の提出がなかった場合・・・・・・・・・・・・・・・・・・・届出期限の翌日

② 猶予中相続税額の一部について猶予期限が確定する場合

特例山林の一部の譲渡等又は路網未整備等があった場合（①イの場合を除く。）には、猶予中相続税額のうち、一定の相続税については、次の日から 2 月を経過する日

・・・・・・・・・・・・・農林水産大臣等から納税地の所轄税務署長に通知があった日

## 6．納税猶予額の免除（措法70の 6 の 6 ⑰）　　重要度○

1 の適用を受ける林業経営相続人が死亡した場合には、猶予中相続税額に相当する相続税を免除する。

この場合において、その林業経営相続人の相続人（包括受遺者を含む。）は、その死亡した日から同日以後 6 月を経過する日までに、一定の届出書を納税地の所轄税務署長に提出しなければならない。

## 7．利子税の納付（措法70の 6 の 6 ⑲）　　　重要度○

林業経営相続人は、5 ⑵の場合には、申告期限の翌日から納税猶予期限までの期間に応じ、一定の割合を乗じて計算した利子税を、相続税にあわせて納付しなければならない。

## 8．経営委託の特例 （措法70の6の6⑥）　重要度△

　1の規定の適用を受ける林業経営相続人が、障害、疾病等の事由により経営を行うことが困難な状態となった場合において、その特例山林の全部の経営をその林業経営相続人の推定相続人で一定の者に経営委託をしたときは、その経営委託をした日から2月以内に、一定の届出書を納税地の所轄税務署長に提出したときに限り、経営は廃止していないものとみなす。

## 9．用語の意義　重要度△

(1)　**被相続人** （措法70の6の6①、措令40の7の6①）
　次の要件の全てを満たす者とする。
①　相続の開始の直前において、特定森林経営計画が定められている区域内に存する山林であって、その山林に係る土地について作業路網の整備が行われる部分の面積の合計が100ha以上であるものを有していた個人であること。
②　次の事項について、その死亡前に証明を受けていた者であること。
　イ　特定森林経営計画の達成のために必要な機械その他の設備を利用することができること。
　ロ　特定森林経営計画が定められている区域内に存する山林の全てについて、適正かつ確実に経営及び作業路網の整備を行うものと認められること。
　ハ　特定森林経営計画に従って山林の経営の規模の拡大を行うものと認められること。

(2)　**特例山林** （措法70の6の6①）
　林業経営相続人が自ら経営を行うものであって、次の要件の全てを満たすものをいう。
①　特定森林経営計画において、作業路網の整備を行う山林として記載されているものであること。
②　市街化区域内に所在するものでないこと。
③　立木にあっては一定の立木であること。

(3)　**特例施業対象山林** （措法70の6の6②三）
　被相続人が相続開始の直前に有していた山林のうちその相続開始の前に特定森林経営計画が定められている区域内に存するものであって次の要件の全てを満たすものをいう。

① その被相続人又はその被相続人からその有する山林の全部の経営の委託を受けた者によりその相続の開始の直前まで引き続きその特定森林経営計画に従って適正かつ確実に経営が行われてきた山林であること。

② その特定森林経営計画に記載されている山林のうち作業路網の整備を行う部分が、同一の者により一体として効率的な施業を行うことができるものとして一定の要件を満たしていること。

⑷ **林業経営相続人**（措法70の6の6②四）

被相続人から相続又は遺贈によりその被相続人がその相続開始の直前に有していた全ての山林を取得した個人であって、次の要件の全てを満たす者をいう。

① その相続開始の直前において、その被相続人の推定相続人であること。

② その相続開始の時から申告期限（その申告期限前にその個人が死亡した場合には、その死亡の日）まで引き続きその相続又は遺贈により取得をしたその山林の全てを有し、かつ、その特定森林経営計画に従ってその経営を行っていること。

③ その特定森林経営計画に従ってその山林の経営を適正かつ確実に行うものと認められる要件として一定のものを満たしていること。

⑸ **納税猶予分の相続税額**（措法70の6の6②五）

①の金額から②の金額を控除した残額をいう。

① 特例山林の価額を林業経営相続人に係る相続税の課税価格とみなして計算した林業経営相続人の相続税の額

② 特例山林の価額に100分の20を乗じて計算した金額を林業経営相続人に係る相続税の課税価格とみなして計算した林業経営相続人の相続税の額

テーマ
・・・・・
9

**169**

テーマ 9　納税猶予　　　　　　　　　　　　　　ランク **C**

## 9-4　特定の美術品についての相続税の納税猶予及び免除

### 1．特定の美術品についての相続税の納税猶予及び免除

（措法70の 6 の 7①）　　　　　　重要度◎

　　認定保存活用計画に基づき特定美術品を寄託先美術館の設置者に寄託していた者から相続又は遺贈によりその特定美術品を取得した寄託相続人が、その特定美術品のその寄託先美術館の設置者への寄託を継続する場合には、相続税の期限内申告書の提出により納付すべき相続税の額のうち、納税猶予分の相続税については、申告期限までに納税猶予分の相続税額に相当する担保を提供した場合に限り、納付の規定にかかわらず、その寄託相続人の死亡の日まで、その納税を猶予する。

### 2．特定美術品が未分割である場合 （措法70の 6 の 7⑦）　　重要度○

　　申告期限までに、特定美術品が分割されていない場合における 1 の規定の適用については、その分割されていない特定美術品は、相続税の期限内申告書に 1 の規定の適用を受ける旨の記載をすることができないものとする。

### 3．手　続 （措法70の 6 の 7⑧⑨⑮）　　重要度◎

⑴　1 の規定は、相続税の期限内申告書に、①の事項の記載がない場合又は②の事項を記載した書類の添付がない場合には、適用しない。
　　①　この規定の適用を受けようとする旨
　　②イ　特定美術品の明細
　　　ロ　納税猶予分の相続税額の計算に関する明細
　　　ハ　その他一定の事項
⑵　寄託相続人は、納税猶予分の相続税額の全部につき猶予期限が確定する日までの間、申告期限の翌日から起算して 3 年を経過するごとの日までに継続届出書に、一定の書類を添付して、納税地の所轄税務署長に提出しなければならない。
⑶　⑵の規定の適用については、税務署長がやむを得ない事情があると認めるときは、この限りでない。

## ４．納税猶予期限　　　　　　　　　　　　　　　重要度○

(1) **原　則**（措70の６の７①）

寄託相続人の死亡の日

(2) **特　則**（措法70の６の７③⑪）

次のいずれかに該当することとなった場合には、それぞれの日から２月を
経過する日

① 寄託相続人が特定美術品を譲渡した場合（寄託先美術館の設置者に贈与し
た場合を除く。）…文化庁長官からの通知を納税地の所轄税務署長が受けた日

② 特定美術品が滅失（災害による滅失を除く。）等した場合
………………文化庁長官からの通知を納税地の所轄税務署長が受けた日

③ 認定保存活用計画の認定が取り消された場合……認定が取り消された日

④ 特定美術品について、重要文化財の指定が解除された場合又は登録有形文
化財の登録が抹消された場合…指定が解除された日又は登録が抹消された日

⑤ 継続届出書の提出がなかった場合…………………………届出期限の翌日

## ５．納税猶予額の免除　（措法70の６の７⑭）　　　　　重要度○

１の適用を受ける寄託相続人が次のいずれかに該当することとなった場合は、
その特定美術品に係る納税猶予分の相続税額に相当する相続税は、免除する。

(1) 寄託相続人が死亡した場合

(2) 寄託相続人がその特定美術品を寄託先美術館の設置者に贈与した場合

(3) その特定美術品が災害により滅失した場合

## ６．利子税の納付　（措法70の６の７⑯）　　　　　　　重要度○

寄託相続人は、４(2)の場合には、申告期限の翌日から納税猶予期限までの期間
に応じ、一定の割合を乗じて計算した利子税を、相続税にあわせて納付しなけれ
ばならない。

(1)　**特定美術品**（措法70の6の7②一）

認定保存活用計画に記載された次のものをいう。

①　重要文化財として指定された絵画、彫刻、工芸品その他の有形の文化的所産である動産

②　登録有形文化財（建造物を除く。）のうち世界文化の見地から歴史上、芸術上又は学術上特に優れた価値を有するもの

(2)　**寄託相続人**（措法70の6の7②四）

相続又は遺贈により特定美術品を取得した個人をいう。

(3)　**寄託先美術館**（措法70の6の7②五）

博物館法に規定する博物館又は博物館に相当する施設として指定された施設のうち、特定美術品の公開及び保管を行うものをいう。

(4)　**納税猶予分の相続税額**（措法70の6の7②六）

①の金額から②の金額を控除した金額をいう。

①　特定美術品の価額を寄託相続人に係る相続税の課税価格とみなして計算した寄託相続人の相続税の額

②　特定美術品の価額に100分の20を乗じて計算した金額を寄託相続人に係る相続税の課税価格とみなして計算した寄託相続人の相続税の額

(MEMO)

# 9−5 個人の事業用資産についての贈与税の納税猶予及び免除

## 1．個人の事業用資産についての贈与税の納税猶予及び免除

（措法70の6の8①）　　　重要度◎

　特定事業用資産を有していた個人として一定の者（既にこの規定の適用に係る贈与をしているものを除く。以下「贈与者」という。）が特例事業受贈者にその事業（不動産貸付業その他一定のものを除く。以下同じ。）に係る特定事業用資産の全て（数人の共有である場合には、その贈与者以外の者が有していた部分を除く。）の贈与（平成31年1月1日から令和10年12月31日までの間の贈与で、最初のこの規定の適用に係る贈与及びその贈与の日その他一定の日から1年を経過する日までの贈与に限る。）をした場合には、贈与税の期限内申告書の提出により納付すべき贈与税の額のうち、納税猶予分の贈与税については、申告期限までに納税猶予分の贈与税額に相当する担保を提供した場合に限り、納付の規定にかかわらず、その贈与者（その贈与者の免除対象贈与に係るものである場合の納税猶予分の贈与税については、免除対象贈与をした最初の特例事業受贈者に特定事業用資産の贈与をした者。以下4及び5において同じ。）の死亡の日まで、その納税を猶予する。

## 2．適用除外 （措法70の6の8⑦）　　　重要度○

　1の規定は、特定事業用資産に係る事業と同一の事業の用に供される資産について、他の特例事業受贈者又は他の特例事業相続人等がいる場合には、その特定事業用資産については、適用しない。

**3．手　続**（措法70の6の8⑧⑨⑮）　　　　　　　　　　　重要度◎

(1)　1の規定は、贈与税の期限内申告書に、①の事項の記載がない場合又は②の事項を記載した書類の添付がない場合には、適用しない。

①　この規定の適用を受けようとする旨

②イ　事業の用に供される資産の明細

　ロ　納税猶予分の贈与税額の計算に関する明細

　ハ　その他一定の事項

(2)　特例事業受贈者は、申告期限の翌日から猶予中贈与税額の全部につき猶予期限が確定する日までの間に特例贈与報告基準日が存する場合には、届出期限までに、継続届出書を納税地の所轄税務署長に提出しなければならない。

(3)　(2)の規定の適用については、税務署長がやむを得ない事情があると認めるときは、この限りでない。

**4．納税猶予期限**　　　　　　　　　　　　　　　　　　　重要度○

(1)　**原　則**（措法70の6の8①）

　贈与者の死亡の日

(2)　**特　則**（措法70の6の8③④⑪）

①　猶予中贈与税額の全部について猶予期限が確定する場合

　次のいずれかに該当することとなった場合には、それぞれの日から2月を経過する日

　イ　事業を廃止した場合又は破産手続開始の決定があった場合
　　　‥‥‥‥‥‥‥‥‥‥‥‥‥‥‥‥‥‥‥‥‥廃止した日又は決定があった日

　ロ　特例事業受贈者のその年のその事業に係る事業所得の総収入金額が零となった場合‥‥‥‥‥‥‥‥‥‥‥‥‥‥‥‥‥‥‥‥‥その年の12月31日

　ハ　特例受贈事業用資産の全てがその年の青色申告書の貸借対照表に計上されなくなった場合‥‥‥‥‥‥‥‥‥‥‥‥‥‥‥‥その年の12月31日

　ニ　青色申告の承認が取り消された場合又は青色申告書の提出をやめる旨の届出書を提出した場合‥‥‥‥‥‥‥取り消された日又は提出があった日

　ホ　継続届出書の提出がなかった場合‥‥‥‥‥‥‥‥‥‥届出期限の翌日

②　猶予中贈与税額の一部について猶予期限が確定する場合

　特例受贈事業用資産の全部又は一部が事業の用に供されなくなった場合（一定の場合を除く。）には、猶予中贈与税額のうち、一定の贈与税については、次の日から2月を経過する日‥‥‥‥‥‥‥‥‥供されなくなった日

(1) **届出書による免除**（措法70の6の8⑭⑮）

① 次のいずれかに該当することとなった場合には、それぞれの贈与税を免除する。

イ 贈与者の死亡の時以前に特例事業受贈者が死亡した場合
……………………………………猶予中贈与税額に相当する贈与税

ロ 贈与者が死亡した場合
…猶予中贈与税額のうち、その贈与者が贈与をした特例受贈事業用資産に対応する一定の金額に相当する贈与税

ハ 特定申告期限の翌日から5年を経過する日後に、特例事業受贈者が特例受贈事業用資産の全てにつき免除対象贈与をした場合
……………………………………猶予中贈与税額に相当する贈与税

ニ 特例事業受贈者が特例受贈事業用資産に係る事業を継続できなくなった場合（一定のやむを得ない理由がある場合に限る。）
……………………………………猶予中贈与税額に相当する贈与税

② ①の場合において、特例事業受贈者又は特例事業受贈者の相続人（包括受遺者を含む。）は、その該当することとなった日から同日以後6月を経過する日までに、一定の届出書を納税地の所轄税務署長に提出しなければならない。

③ ②の規定の適用については、税務署長がやむを得ない事情があると認めるときは、この限りでない。

(2) **申請書による免除**（措法70の6の8⑯）

次のいずれかに該当することとなった場合において、特例事業受贈者は、それぞれの贈与税の免除を受けようとするときは、その該当することとなった日から2月を経過する日までに、一定の申請書を納税地の所轄税務署長に提出しなければならない。

① 特例事業受贈者が特例受贈事業用資産の全部の譲渡等をした場合において、一定の金額の合計額が譲渡等の直前における猶予中贈与税額に満たないとき……………………猶予中贈与税額からその合計額を控除した残額

② 破産手続開始の決定があった場合
………………………破産手続開始の決定の直前における猶予中贈与税額

## 6．利子税の納付 (措法70の6の8㉕) 重要度○

　　特例事業受贈者は、4⑵の場合には、申告期限の翌日から納税猶予期限までの期間に応じ、一定の割合を乗じて計算した利子税を、贈与税にあわせて納付しなければならない。

## 7．個人の事業用資産の贈与者が死亡した場合の相続税の課税の特例 (措法70の6の9①②) 重要度◎

　⑴　1の規定の適用を受ける特例事業受贈者に係る贈与者が死亡した場合（その死亡の時以前にその特例事業受贈者が死亡した場合を除く。）には、その贈与者の死亡に係る相続税については、その特例事業受贈者がその特例受贈事業用資産をその贈与者から相続（その特例事業受贈者が相続人以外の者である場合には、遺贈）により取得したものとみなす。

　　　この場合において、その相続税の課税価格の計算の基礎に算入すべきその特例受贈事業用資産の価額については、その贈与の時における価額による。

　⑵　特例事業受贈者に係る贈与者が免除対象贈与をした場合における⑴の規定の適用については、その特例事業受贈者に係る前の贈与者（免除対象贈与をした最初の特例事業受贈者に特定事業用資産の贈与をした者をいう。）が死亡した場合（その死亡の時以前にその特例事業受贈者が死亡した場合を除く。）には、当該前の贈与者の死亡に係る相続税については、その特例事業受贈者がその特例受贈事業用資産を当該前の贈与者から相続（その特例事業受贈者が相続人以外の者である場合には、遺贈）により取得したものとみなす。

　　　この場合において、その相続税の課税価格の計算の基礎に算入すべきその特例受贈事業用資産の価額については、当該前の贈与（免除対象贈与をした最初の特例事業受贈者に対するその特定事業用資産の贈与をいう。）の時における価額による。

## 8．用語の意義 重要度△

　⑴　**贈与者** (措法70の6の8①、措令40の7の8)
　　　特定事業用資産を有していた個人で、次の区分に応じそれぞれの者とする。
　①　特定事業用資産を有していた者が贈与の時前においてその特定事業用資産に係る事業を行っていた者である場合
　　　次の要件の全てを満たす者
　イ　その贈与の時において事業を廃止した旨の届出書を提出していること又は贈与税の申告期限までにその届出書を提出する見込みであること。

ロ　その事業について、贈与の日の属する年、その前年及びその前々年に
　　　所得税法の青色申告書を提出していること。
　②　①以外の場合
　　次の要件の全てを満たす者
　　イ　贈与の直前において、①の者と生計を一にする親族であること。
　　ロ　①の者の贈与の時後に特定事業用資産の贈与をしていること。
⑵　**特定事業用資産**（措法70の6の8②一）
　　贈与者（その贈与者と生計を一にする配偶者その他の親族及びこれらに類するもの
　として一定の者を含む。⑷⑦において同じ。）の事業の用に供されていた次の資産
　（その贈与者の贈与の日の属する年の前年分の青色申告書の貸借対照表に計上されて
　いるものに限る。）の区分に応じそれぞれ次のものをいう。
　①　宅地等（一定の建物又は構築物の敷地の用に供されているもののうち一定のもの
　　に限る。）
　　　その宅地等の面積の合計のうち400㎡以下の部分
　②　建物（その事業の用に供されている建物として一定のものに限る。）
　　　その建物の床面積の合計のうち800㎡以下の部分
　③　減価償却資産（②を除く。）
　　　償却資産、営業用の自動車その他これらに準ずる減価償却資産で一定の
　　もの
⑶　**特例受贈事業用資産**（措法70の6の8①）
　　特定事業用資産で贈与税の期限内申告書にこの規定の適用を受けようとす
　る旨の記載があるものをいう。
⑷　**特例事業受贈者**（措法70の6の8②二）
　　贈与者から贈与により特定事業用資産の取得をした個人で、次の要件の全
　てを満たす者をいう。
　①　その贈与の日において18歳以上であること。
　②　中小企業における経営の承継の円滑化に関する法律に規定する中小企業
　　者であって特例円滑化法認定を受けていること。
　③　その贈与の日まで引き続き3年以上にわたりその特定事業用資産に係る
　　事業（その事業に準ずるものとして一定のものを含む。）に従事していたこと。
　④　贈与税の申告期限（その申告期限前にその個人が死亡した場合には、その死亡
　　の日。⑤において同じ。）まで引き続きその特定事業用資産の全てを有し、
　　かつ、自己の事業の用に供していること。

⑤　その贈与の日の属する年分の贈与税の申告期限において、その特定事業用資産に係る事業について開業の届出書を提出していること及び青色申告の承認を受けていること。

⑥　その特定事業用資産に係る事業が、その贈与の時において資産保有型事業及び資産運用型事業等のいずれにも該当しないこと。

⑦　贈与者の事業を確実に承継すると認められる要件として一定のものを満たしていること。

(5)　**納税猶予分の贈与税額**（措法70の6の8②三）

次の①又は②の場合の区分に応じ①又は②の金額をいう。

①　暦年課税贈与である場合

特例受贈事業用資産の価額（贈与者からその特例受贈事業用資産の贈与とともにその特例受贈事業用資産に係る債務を引き受けた場合には、その特例受贈事業用資産の価額からその債務の金額を控除した額として一定の価額。②において同じ。）を特例事業受贈者に係るその年分の贈与税の課税価格とみなして計算した金額

②　相続時精算課税贈与である場合

その特例受贈事業用資産の価額を特例事業受贈者に係るその年分の贈与税の課税価格とみなして、相続時精算課税の規定を適用して計算した金額

# 9-6 個人の事業用資産についての相続税の納税猶予及び免除

## 1．個人の事業用資産についての相続税の納税猶予及び免除
（措法70の6の10①㉚）　　　　重要度◎

　特定事業用資産を有していた個人として一定の者（以下「被相続人」という。）から相続又は遺贈によりその事業（不動産貸付業その他一定のものを除く。以下同じ。）に係る特定事業用資産の全て（数人の共有である場合には、その被相続人以外の者が有していた部分を除く。）の取得（平成31年1月1日から令和10年12月31日までの間の取得で、最初のこの規定の適用に係る相続又は遺贈による取得及びその取得の日その他一定の日から1年を経過する日までの相続又は遺贈による取得に限るものとし、個人の事業用資産の贈与者が死亡した場合の相続税の課税の特例の規定により相続又は遺贈により取得したものとみなされる場合の取得を含む。）をした特例事業相続人等が、相続税の期限内申告書の提出により納付すべき相続税の額のうち、納税猶予分の相続税については、申告期限までに納税猶予分の相続税額に相当する担保を提供した場合に限り、納付の規定にかかわらず、その特例事業相続人等の死亡の日まで、その納税を猶予する。

## 2．資産が未分割である場合 （措法70の6の10⑦）　　　重要度○

　申告期限までに、事業の用に供されていた資産の全部又は一部が分割されていない場合における1の規定の適用については、その分割されていない資産は、相続税の期限内申告書に1の規定の適用を受ける旨の記載をすることができないものとする。

## 3．適用除外 （措法70の6の10⑧）　　　重要度○

　1の規定は、特定事業用資産に係る事業と同一の事業の用に供される資産について、他の特例事業相続人等又は他の特例事業受贈者がいる場合には、その特定事業用資産については、適用しない。

## 4．手 続（措法70の6の10⑨⑩⑯） 重要度◎

(1) 1の規定は、相続税の期限内申告書に、①の事項の記載がない場合又は②
の事項を記載した書類の添付がない場合には、適用しない。

① この規定の適用を受けようとする旨

②イ 事業の用に供される資産の明細

ロ 納税猶予分の相続税額の計算に関する明細

ハ その他一定の事項

(2) 特例事業相続人等は、申告期限の翌日から猶予中相続税額の全部につき猶
予期限が確定する日までの間に特例相続報告基準日が存する場合には、届出
期限までに、継続届出書を納税地の所轄税務署長に提出しなければならない。

(3) (2)の規定の適用については、税務署長がやむを得ない事情があると認める
ときは、この限りでない。

## 5．納税猶予期限 重要度○

(1) 原 則（措法70の6の10①）

特例事業相続人等の死亡の日

(2) 特 則（措法70の6の10③④⑫）

① 猶予中相続税額の全部について猶予期限が確定する場合

次のいずれかに該当することとなった場合には、それぞれの日から2月
を経過する日

イ 事業を廃止した場合又は破産手続開始の決定があった場合
・・・・・・・・・・・・・・・・・・・・・・・・・・・・廃止した日又は決定があった日

ロ 特例事業相続人等のその年のその事業に係る事業所得の総収入金額が
零となった場合・・・・・・・・・・・・・・・・・・・・・・・・・・・・・その年の12月31日

ハ 特例事業用資産の全てがその年の青色申告書の貸借対照表に計上され
なくなった場合・・・・・・・・・・・・・・・・・・・・・・・・・・・・・その年の12月31日

ニ 青色申告の承認が取り消された場合又は青色申告書の提出をやめる旨
の届出書を提出した場合・・・・・・・・・取り消された日又は提出があった日

ホ 青色申告の承認を受ける見込みであることにより適用を受けた場合に
おいて、その承認の申請が却下されたとき・・・・・・・・・・・・・却下された日

ヘ 継続届出書の提出がなかった場合・・・・・・・・・・・・・・・・届出期限の翌日

テーマ
9

② 猶予中相続税額の一部について猶予期限が確定する場合

　　特例事業用資産の全部又は一部が事業の用に供されなくなった場合（一定の場合を除く。）には、猶予中相続税額のうち、一定の相続税については、次の日から２月を経過する日‥‥‥‥‥‥‥‥‥‥‥‥供されなくなった日

## 6．納税猶予額の免除　　　　　　　　　　　　　　重要度○

(1) **届出書による免除**（措法70の６の10⑮⑯）

① 次のいずれかに該当することとなった場合には、猶予中相続税額に相当する相続税を免除する。

　イ　特例事業相続人等が死亡した場合

　ロ　特定申告期限の翌日から５年を経過する日後に、特例事業相続人等が特例事業用資産の全てにつき免除対象贈与をした場合

　ハ　特例事業相続人等が特例事業用資産に係る事業を継続できなくなった場合（一定のやむを得ない理由がある場合に限る。）

② ①の場合において、特例事業相続人等又は特例事業相続人等の相続人（包括受遺者を含む。）は、その該当することとなった日から同日以後６月を経過する日までに、一定の届出書を納税地の所轄税務署長に提出しなければならない。

③ ②の規定の適用については、税務署長がやむを得ない事情があると認めるときは、この限りでない。

(2) **申請書による免除**（措法70の６の10⑰）

　　次のいずれかに該当することとなった場合において、特例事業相続人等は、それぞれの相続税の免除を受けようとするときは、その該当することとなった日から２月を経過する日までに、一定の申請書を納税地の所轄税務署長に提出しなければならない。

① 特例事業相続人等が特例事業用資産の全部の譲渡等をした場合において、一定の金額の合計額が譲渡等の直前における猶予中相続税額に満たないとき‥‥‥‥‥‥‥‥‥‥‥‥‥‥猶予中相続税額からその合計額を控除した残額

② 破産手続開始の決定があった場合

　　‥‥‥‥‥‥‥‥‥‥‥破産手続開始の決定の直前における猶予中相続税額

## 7．利子税の納付 （措法70の6の10㉖）　重要度○

特例事業相続人等は、5⑵の場合には、申告期限の翌日から納税猶予期限までの期間に応じ、一定の割合を乗じて計算した利子税を、相続税にあわせて納付しなければならない。

## 8．用語の意義　重要度△

(1)　**被相続人** （措法70の6の10①、措令40の7の10①）

特定事業用資産を有していた個人で、次の区分に応じそれぞれの者とする。

①　特定事業用資産を有していた者が相続開始の直前においてその特定事業用資産に係る事業を行っていた者である場合

その事業について、その相続開始の日の属する年、その前年及びその前々年に所得税法の青色申告書を提出している者

②　①以外の場合

次の要件の全てを満たす者

イ　相続開始の直前において、①の者と生計を一にする親族であること。

ロ　①の者の相続開始の時後に開始した相続に係る被相続人であること。

(2)　**特定事業用資産** （措法70の6の10②一）

被相続人（その被相続人と生計を一にする配偶者その他の親族及びこれらに類するものとして一定の者を含む。⑷⑦において同じ。）の事業の用に供されていた次の資産（その被相続人の相続開始の日の属する年の前年分の青色申告書の貸借対照表に計上されているものに限る。）の区分に応じそれぞれ次のものをいう。

①　宅地等（一定の建物又は構築物の敷地の用に供されているもののうち一定のものに限る。）

その宅地等の面積の合計のうち400㎡（小規模宅地等の特例の適用を受ける者がいる場合には、一定の面積を400㎡から控除した面積）以下の部分

②　建物（その事業の用に供されている建物として一定のものに限る。）

その建物の床面積の合計のうち800㎡以下の部分

③　減価償却資産（②を除く。）

償却資産、営業用の自動車その他これらに準ずる減価償却資産で一定のもの

(3)　**特例事業用資産** （措法70の6の10①）

特定事業用資産で相続税の期限内申告書にこの規定の適用を受けようとする旨の記載があるものをいう。

テーマ
9

⑷ **特例事業相続人等**（措法70の6の10②二）

　被相続人から相続又は遺贈により特定事業用資産の取得をした個人で、次の要件（被相続人が60歳未満で死亡した場合には、②の要件を除く。）の全てを満たす者をいう。

① 　中小企業における経営の承継の円滑化に関する法律に規定する中小企業者であって特例円滑化法認定を受けていること。

② 　その相続開始の直前においてその特定事業用資産に係る事業（その事業に準ずるものとして一定のものを含む。）に従事していたこと。

③ 　その相続開始の時から相続税の申告期限（その申告期限前にその個人が死亡した場合には、その死亡の日。④において同じ。）までの間に事業を引き継ぎ、その申告期限まで引き続きその特定事業用資産の全てを有し、かつ、自己の事業の用に供していること。

④ 　相続税の申告期限において、その特定事業用資産に係る事業について開業の届出書を提出していること及び青色申告の承認を受けていること又はその承認を受ける見込みであること。

⑤ 　その特定事業用資産に係る事業が、その相続開始の時において資産保有型事業及び資産運用型事業等のいずれにも該当しないこと。

⑥ 　被相続人から相続又は遺贈により財産を取得した者が、小規模宅地等の特例に規定する特定事業用宅地等について同規定の適用を受けていないこと。

⑦ 　被相続人の事業を確実に承継すると認められる要件として一定のものを満たしていること。

⑸ **納税猶予分の相続税額**（措法70の6の10②三）

　特例事業用資産の価額を特例事業相続人等に係る相続税の課税価格とみなして計算したその特例事業相続人等の相続税の額をいう。

（MEMO）

## 9−7　非上場株式等についての贈与税の納税猶予及び免除

---

### 1．非上場株式等についての贈与税の納税猶予及び免除

（措法70の7①）　　　　　　　重要度◎

認定贈与承継会社の非上場株式等を有していた個人として一定の者（その認定贈与承継会社の非上場株式等について既にこの規定の適用に係る贈与をしているものを除く。以下「贈与者」という。）が経営承継受贈者にその認定贈与承継会社の非上場株式等の贈与（経営贈与承継期間の末日までに申告期限が到来する贈与に限る。）をした場合において、その贈与が次の区分に応じそれぞれの贈与であるときは、贈与税の期限内申告書の提出により納付すべき贈与税の額のうち、納税猶予分の贈与税については、申告期限までに納税猶予分の贈与税額に相当する担保を提供した場合に限り、納付の規定にかかわらず、その贈与者（その贈与者の免除対象贈与に係るものである場合の納税猶予分の贈与税については、免除対象贈与をした最初の経営承継受贈者に認定贈与承継会社の非上場株式等の贈与をした者。以下3及び4において同じ。）の死亡の日まで、その納税を猶予する。

(1)　$A + B \geqq C \times \dfrac{2}{3}$ である場合……………………$C \times \dfrac{2}{3} - B$ 以上の贈与

(2)　$A + B < C \times \dfrac{2}{3}$ である場合……………………Aの全ての贈与

A＝贈与者が贈与の直前に有していた非上場株式等の数等

B＝経営承継受贈者が贈与の直前に有していた非上場株式等の数等

C＝認定贈与承継会社の発行済株式等の総数等

---

### 2．手　続 （措法70の7⑧⑨㉖）　　　　　　　重要度◎

(1)　1の規定は、贈与税の期限内申告書に、①の事項の記載がない場合又は②の事項を記載した書類の添付がない場合には、適用しない。

①　この規定の適用を受けようとする旨

②イ　非上場株式等の明細

ロ　納税猶予分の贈与税額の計算に関する明細

ハ　その他一定の事項

(2)　経営承継受贈者は、申告期限の翌日から猶予中贈与税額の全部につき猶予期限が確定する日までの間に経営贈与報告基準日が存する場合には、届出期限までに、継続届出書を納税地の所轄税務署長に提出しなければならない。

⑶　⑵の規定の適用については、税務署長がやむを得ない事情があると認めるときは、この限りでない。

## 3．納税猶予期限 重要度○

⑴　**原　則**（措法70の7①）

　　贈与者の死亡の日

⑵　**特　則**（措法70の7③④⑤⑪）

①　経営贈与承継期間内

　　経営贈与承継期間内に次のいずれかに該当することとなった場合には、それぞれの日から2月を経過する日

　　イ　代表権を有しないこととなった場合‥‥‥‥有しないこととなった日

　　ロ　従業員数確認期間の末日における常時使用従業員数の平均が贈与の時における常時使用従業員数の100分の80を下回る数となった場合

　　　　‥‥‥‥‥‥‥‥‥‥‥‥‥‥‥‥‥‥‥‥‥‥従業員数確認期間の末日

　　ハ　経営承継受贈者及び経営承継受贈者と特別の関係がある者の有する議決権の数の合計が総株主等議決権数の100分の50以下となった場合

　　　　‥‥‥‥‥‥‥‥‥‥‥‥‥‥‥‥‥‥‥‥100分の50以下となった日

　　ニ　経営承継受贈者と特別の関係がある者のうちいずれかの者が、経営承継受贈者が有する議決権の数を超える数の議決権を有することとなった場合‥‥‥‥‥‥‥‥‥‥‥‥‥‥‥‥‥‥‥‥‥‥有することとなった日

　　ホ　経営承継受贈者が対象受贈非上場株式等の一部の譲渡等をした場合

　　　　‥‥‥‥‥‥‥‥‥‥‥‥‥‥‥‥‥‥‥‥‥‥‥‥‥‥譲渡等をした日

　　ヘ　経営承継受贈者が対象受贈非上場株式等の全部の譲渡等をした場合

　　　　‥‥‥‥‥‥‥‥‥‥‥‥‥‥‥‥‥‥‥‥‥‥‥‥‥‥譲渡等をした日

　　ト　継続届出書の提出がなかった場合‥‥‥‥‥‥‥‥届出期限の翌日

②　経営贈与承継期間後

　　経営贈与承継期間の末日の翌日から猶予中贈与税額の全部につき猶予期限が確定する日までの間において、次のいずれかに該当することとなった場合には、それぞれの金額については、それぞれの日から2月を経過する日

　　イ　①ヘ又はトに該当する場合

　　　　‥‥‥‥‥猶予中贈与税額について、それぞれに該当することとなった日

　　ロ　①ホに該当する場合

　　　　‥猶予中贈与税額のうち、譲渡等をした対象受贈非上場株式等の数等に対応する一定の金額について、譲渡等をした日

テーマ<br>‥‥‥<br>9

**187**

(1)　**届出書による免除**（措法70の7⑮㉖）

①　次のいずれかに該当することとなった場合には、それぞれの贈与税を免除する。

　イ　贈与者の死亡の時以前に経営承継受贈者が死亡した場合

　　………………………………………猶予中贈与税額に相当する贈与税

　ロ　贈与者が死亡した場合

　　………………猶予中贈与税額のうち、一定の金額に相当する贈与税

　ハ　経営贈与承継期間の末日の翌日以後にその経営承継受贈者が**免除対象贈与**をした場合…猶予中贈与税額のうち、一定の金額に相当する贈与税

②　①の場合において、経営承継受贈者又は経営承継受贈者の相続人（包括受遺者を含む。）は、その該当することとなった日から同日以後6月（①ロの場合にあっては、10月）を経過する日までに、**一定の届出書**を納税地の所轄税務署長に提出しなければならない。

③　②の規定の適用については、税務署長がやむを得ない事情があると認めるときは、この限りでない。

(2)　**申請書による免除**（措法70の7⑯）

経営贈与承継期間の末日の翌日以後に、次のいずれかに該当することとなった場合において、経営承継受贈者は、それぞれの贈与税の免除を受けようとするときは、その該当することとなった日から**2月**を経過する日までに、**一定の申請書**を納税地の所轄税務署長に提出しなければならない。

①　経営承継受贈者が認定贈与承継会社の非上場株式等の全部の譲渡等をした場合において、一定の金額の合計額が譲渡等の直前における**猶予中贈与税額**に満たないとき………猶予中贈与税額からその合計額を控除した残額

②　認定贈与承継会社について**破産手続開始の決定又は特別清算開始の命令**があった場合……認定贈与承継会社の解散の直前における猶予中贈与税額

経営承継受贈者は、3(2)の場合には、申告期限の翌日から納税猶予期限までの期間に応じ、一定の割合を乗じて計算した利子税を、贈与税にあわせて納付しなければならない。

## 6．非上場株式等の贈与者が死亡した場合の相続税の課税 の特例（措法70の7の3①②）

重要度◎

(1)　1の規定の適用を受ける経営承継受贈者に係る贈与者が死亡した場合（その死亡の時以前にその経営承継受贈者が死亡した場合を除く。）には、その贈与者の死亡に係る相続税については、その経営承継受贈者がその対象受贈非上場株式等をその贈与者から相続（その経営承継受贈者が相続人以外の者である場合には、遺贈）により取得したものとみなす。

この場合において、その相続税の課税価格の計算の基礎に算入すべきその対象受贈非上場株式等の価額については、その贈与の時における価額による。

(2)　経営承継受贈者に係る贈与者が免除対象贈与をした場合における(1)の規定の適用については、その経営承継受贈者に係る**前の贈与者**（免除対象贈与をした最初の経営承継受贈者に認定贈与承継会社の非上場株式等の贈与をした者をいう。）**が死亡した場合**（その死亡の時以前にその経営承継受贈者が死亡した場合を除く。）には、当該前の贈与者の死亡に係る相続税については、その経営承継受贈者がその対象受贈非上場株式等を当該前の贈与者から相続（その経営承継受贈者が相続人以外の者である場合には、遺贈）により取得したものとみなす。

この場合において、その相続税の課税価格の計算の基礎に算入すべきその対象受贈非上場株式等の価額については、**当該前の贈与**（免除対象贈与をした最初の経営承継受贈者に対する認定贈与承継会社の非上場株式等の贈与をいう。）**の時における価額による。**

テーマ
9

**189**

(1) **贈与者**（措法70の7①、措令40の8①）

次の区分に応じそれぞれの者とする。

① ②以外の場合

贈与の時前において、認定贈与承継会社の代表権を有していた個人で、次の要件の全てを満たすもの

イ　贈与の直前において、その個人及びその個人と特別の関係がある者の有する議決権の数の合計が総株主等議決権数の100分の50を超える数であること。

ロ　贈与の直前において、その個人が有する議決権の数が、その個人と特別の関係がある者（経営承継受贈者となる者を除く。）のうちいずれの者が有する議決権の数をも下回らないこと。

ハ　贈与の時において、その個人が認定贈与承継会社の代表権を有していないこと。

② 1の規定の適用を受けようとする者が、次のいずれかに該当する場合

認定贈与承継会社の非上場株式等を有していた個人で、贈与の時において代表権を有していないもの

イ　認定贈与承継会社の非上場株式等について、非上場株式等についての贈与税の納税猶予及び免除、非上場株式等についての相続税の納税猶予及び免除又は非上場株式等の贈与者が死亡した場合の相続税の納税猶予及び免除の規定の適用を受けている者

ロ　①の者から1の規定の適用に係る贈与により認定贈与承継会社の非上場株式等の取得をしている者（イの者を除く。）

ハ　非上場株式等についての相続税の納税猶予及び免除の規定の適用に係る被相続人から相続又は遺贈により認定贈与承継会社の非上場株式等の取得をしている者（イの者を除く。）

(2) **認定贈与承継会社**（措法70の7②一）

中小企業における経営の承継の円滑化に関する法律に規定する中小企業者のうち円滑化法認定を受けた会社で、贈与の時において、次の要件の全てを満たすものをいう。

① 常時使用従業員の数が1人以上であること。

② 資産保有型会社又は資産運用型会社のうち一定のものに該当しないこと。

③ その会社及びその会社と特別の関係がある会社（以下「会社等」という。）の株式等が、非上場株式等に該当すること。

④　その会社等が、風俗営業会社に該当しないこと。

⑤　①から④のほか、会社の円滑な事業の運営を確保するために必要とされる要件として一定のものを備えているものであること。

⑶　**経営承継受贈者**（措法70の7②三）

贈与者から贈与により認定贈与承継会社の非上場株式等の取得をした個人で、次の要件の全てを満たす者（その者が二以上ある場合には、その認定贈与承継会社が定めた一の者に限る。）をいう。

①　その贈与の日において18歳以上であること。

②　その贈与の時において、その認定贈与承継会社の代表権を有していること。

③　その贈与の時において、その個人及びその個人と特別の関係がある者の有する議決権の数の合計が、総株主等議決権数の100分の50を超える数であること。

④　その贈与の時において、その個人が有する議決権の数が、その個人と特別の関係がある者のうちいずれの者が有する議決権の数をも下回らないこと。

⑤　その贈与の時から申告期限（その申告期限前にその個人が死亡した場合には、その死亡の日）まで引き続きその贈与により取得をしたその対象受贈非上場株式等のすべてを有していること。

⑥　その贈与の日まで引き続き3年以上にわたりその認定贈与承継会社の役員その他の地位として一定のものを有していること。

⑦　認定贈与承継会社の非上場株式等について非上場株式等についての贈与税の納税猶予及び免除の特例、非上場株式等についての相続税の納税猶予及び免除の特例又は非上場株式等の特例贈与者が死亡した場合の相続税の納税猶予及び免除の特例の適用を受けていないこと。

⑷　**対象受贈非上場株式等**（措法70の7①）

非上場株式等で贈与税の期限内申告書にこの規定の適用を受けようとする旨の記載があるもの（贈与の時における認定贈与承継会社の発行済株式又は出資の総数又は総額の3分の2に達するまでの部分として一定のものに限る。）をいう。

⑸　**納税猶予分の贈与税額**（措法70の7②五）

次の①又は②の区分に応じ①又は②の金額をいう。

①　暦年課税贈与である場合

対象受贈非上場株式等の価額を経営承継受贈者に係るその年分の贈与税の課税価格とみなして計算した金額をいう。

②　相続時精算課税贈与である場合

対象受贈非上場株式等の価額を経営承継受贈者に係るその年分の贈与税の課税価格とみなして、相続時精算課税の規定を適用して計算した金額をいう。

テーマ
9

## 9-8　非上場株式等についての相続税の納税猶予及び免除

### 1．非上場株式等についての相続税の納税猶予及び免除

（措法70の7の2①）　　　　　重要度◎

　　認定承継会社の非上場株式等を有していた個人として一定の者（以下「被相続人」という。）から相続又は遺贈によりその認定承継会社の非上場株式等の取得（経営承継期間の末日までに相続税の申告期限が到来する相続又は遺贈による取得に限る。）をした**経営承継相続人等**が、相続税の期限内申告書の提出により納付すべき相続税の額のうち、納税猶予分の相続税については、申告期限までに納税猶予分の相続税額に相当する担保を提供した場合に限り、納付の規定にかかわらず、経営承継相続人等の死亡の日まで、その納税を猶予する。

### 2．非上場株式等が未分割である場合　（措法70の7の2⑦）　重要度〇

　　申告期限までに、非上場株式等の全部又は一部が分割されていない場合における1の規定の適用については、その分割されていない非上場株式等は、相続税の期限内申告書に1の規定の適用を受ける旨の記載をすることができないものとする。

### 3．手　続　（措法70の7の2⑨⑩㉗）　　　　　　　重要度◎

(1)　1の規定は、相続税の期限内申告書に、①の事項の記載がない場合又は②の事項を記載した書類の添付がない場合には、適用しない。

　　①　この規定の適用を受けようとする旨

　　②イ　非上場株式等の明細

　　　ロ　納税猶予分の相続税額の計算に関する明細

　　　ハ　その他一定の事項

(2)　経営承継相続人等は、申告期限の翌日から猶予中相続税額の全部につき猶予期限が確定する日までの間に経営報告基準日が存する場合には、届出期限までに、継続届出書を納税地の所轄税務署長に提出しなければならない。

(3)　(2)の規定の適用については、税務署長がやむを得ない事情があると認めるときは、この限りでない。

## 4．納税猶予期限　　　　　　　　　　　　重要度○

(1)　**原　則**（措法70の7の2①）

　　経営承継相続人等の死亡の日

(2)　**特　則**（措法70の7の2③④⑤⑫）

　①　経営承継期間内

　　　経営承継期間内に次のいずれかに該当することとなった場合には、それぞれの日から2月を経過する日

　　イ　代表権を有しないこととなった場合 ‥‥‥‥有しないこととなった日

　　ロ　従業員数確認期間の末日における常時使用従業員数の平均が相続開始の時における常時使用従業員数の100分の80を下回る数となった場合

　　　　　‥‥‥‥‥‥‥‥‥‥‥‥‥‥‥‥‥‥‥‥従業員数確認期間の末日

　　ハ　経営承継相続人等及び経営承継相続人等と特別の関係がある者の有する議決権の数の合計が総株主等議決権数の100分の50以下となった場合

　　　　　‥‥‥‥‥‥‥‥‥‥‥‥‥‥‥‥‥100分の50以下となった日

　　ニ　経営承継相続人等と特別の関係がある者のうちいずれかの者が、経営承継相続人等が有する議決権の数を超える数の議決権を有することとなった場合‥‥‥‥‥‥‥‥‥‥‥‥‥‥‥‥‥有することとなった日

　　ホ　経営承継相続人等が対象非上場株式等の一部の譲渡等をした場合

　　　　　‥‥‥‥‥‥‥‥‥‥‥‥‥‥‥‥‥‥‥‥‥‥譲渡等をした日

　　ヘ　経営承継相続人等が対象非上場株式等の全部の譲渡等をした場合

　　　　　‥‥‥‥‥‥‥‥‥‥‥‥‥‥‥‥‥‥‥‥‥‥譲渡等をした日

　　ト　継続届出書の提出がなかった場合‥‥‥‥‥‥‥‥届出期限の翌日

　②　経営承継期間後

　　　経営承継期間の末日の翌日から猶予中相続税額の全部につき猶予期限が確定する日までの間において、次のいずれかに該当することとなった場合には、それぞれの金額については、それぞれの日から2月を経過する日

　　イ　①ヘ又はトに該当する場合

　　　　　‥‥‥猶予中相続税額について、それぞれに該当することとなった日

　　ロ　①ホに該当する場合

　　　　　…猶予中相続税額のうち、譲渡等をした対象非上場株式等の数等に対応する一定の金額について、譲渡等をした日

## 5．納税猶予額の免除 　　　　　　　　　　　　　　重要度○

(1) **届出書による免除**（措法70の7の2⑯㉗）

① 次のいずれかに該当することとなった場合には、それぞれの相続税を免除する。

　イ　経営承継相続人等が死亡した場合

　　　……………………………………猶予中相続税額に相当する相続税

　ロ　経営承継期間の末日の翌日以後に、その経営承継相続人等が免除対象贈与をした場合

　　　………………猶予中相続税額のうち、一定の金額に相当する相続税

② ①の場合において、経営承継相続人等又は経営承継相続人等の相続人（包括受遺者を含む。）は、その該当することとなった日から同日以後6月を経過する日までに、一定の届出書を納税地の所轄税務署長に提出しなければならない。

③ ②の規定の適用については、税務署長がやむを得ない事情があると認めるときは、この限りでない。

(2) **申請書による免除**（措法70の7の2⑰）

経営承継期間の末日の翌日以後に、次のいずれかに該当することとなった場合において、経営承継相続人等は、それぞれの相続税の免除を受けようとするときは、その該当することとなった日から2月を経過する日までに、一定の申請書を納税地の所轄税務署長に提出しなければならない。

① 経営承継相続人等が認定承継会社の非上場株式等の全部の譲渡等をした場合において、一定の金額の合計額が譲渡等の直前における猶予中相続税額に満たないとき…………猶予中相続税額からその合計額を控除した残額

② 認定承継会社について破産手続開始の決定又は特別清算開始の命令があった場合………………認定承継会社の解散の直前における猶予中相続税額

## 6．利子税の納付 （措法70の7の2㉘）　　　　　　　　　　重要度○

経営承継相続人等は、4(2)の場合には、申告期限の翌日から納税猶予期限までの期間に応じ、一定の割合を乗じて計算した利子税を、相続税にあわせて納付しなければならない。

## 7．用語の意義　　　　　　　　　　　　　　　　　　　　重要度△

(1)　**被相続人**（措法70の7の2①、措令40の8の2①）

次の区分に応じそれぞれの者とする。

①　②以外の場合

相続開始前において、認定承継会社の代表権を有していた個人で、次の要件の全てを満たすもの

イ　相続開始の直前において、その個人及びその個人と特別の関係がある者の有する議決権の数の合計が総株主等議決権数の100分の50を超える数であること。

ロ　相続開始の直前において、その個人が有する議決権の数が、その個人と特別の関係がある者（経営承継相続人等となる者を除く。）のうちいずれの者が有する議決権の数をも下回らないこと。

②　1の規定の適用を受けようとする者が、次のいずれかに該当する場合

認定承継会社の非上場株式等を有していた個人

イ　認定承継会社の非上場株式等について、非上場株式等についての贈与税の納税猶予及び免除、非上場株式等についての相続税の納税猶予及び免除又は非上場株式等の贈与者が死亡した場合の相続税の納税猶予及び免除の規定の適用を受けている者

ロ　非上場株式等についての贈与税の納税猶予及び免除の規定の適用に係る贈与者から贈与により認定承継会社の非上場株式等の取得をしている者（イの者を除く。）

ハ　①の者から1の規定の適用に係る相続又は遺贈により認定承継会社の非上場株式等の取得をしている者（イの者を除く。）

(2)　**認定承継会社**（措法70の7の2②一）

中小企業における経営の承継の円滑化に関する法律に規定する中小企業者のうち円滑化法認定を受けた会社で、相続開始の時において、次の要件の全てを満たすものをいう。

①　常時使用従業員の数が1人以上であること。

②　資産保有型会社又は資産運用型会社のうち一定のものに該当しないこと。

③　その会社及びその会社と特別の関係がある会社（以下「会社等」という。）の株式等が、非上場株式等に該当すること。

④　その会社等が、風俗営業会社に該当しないこと。

⑤　①から④のほか、会社の円滑な事業の運営を確保するために必要とされる要件として一定のものを備えているものであること。

テーマ

9

**195**

⑶　**経営承継相続人等**（措法70の7の2②三）

　　被相続人から相続又は遺贈により認定承継会社の非上場株式等の取得をした個人で、次の要件の全てを満たす者（その者が二以上ある場合には、その認定承継会社が定めた一の者に限る。）をいう。

①　その相続開始の日の翌日から5月を経過する日において、その認定承継会社の代表権を有していること。

②　その相続開始の時において、その個人及びその個人と特別の関係がある者の有する議決権の数の合計が、総株主等議決権数の100分の50を超える数であること。

③　その相続開始の時において、その個人が有する議決権の数が、その個人と特別の関係がある者のうちいずれの者が有する議決権の数をも下回らないこと。

④　その相続開始の時から申告期限（その申告期限前にその個人が死亡した場合には、その死亡の日）まで引き続きその相続又は遺贈により取得をしたその対象非上場株式等のすべてを有していること。

⑤　その認定承継会社の非上場株式等について非上場株式等についての贈与税の納税猶予及び免除の特例、非上場株式等についての相続税の納税猶予及び免除の特例又は非上場株式等の特例贈与者が死亡した場合の相続税の納税猶予及び免除の特例の適用を受けていないこと。

⑥　その認定承継会社の経営を確実に承継すると認められる要件として一定のものを満たしていること。

⑷　**対象非上場株式等**（措法70の7の2①）

　　非上場株式等で相続税の期限内申告書にこの規定の適用を受けようとする旨の記載があるもの（相続の開始の時における認定承継会社の発行済株式又は出資の総数又は総額の3分の2に達するまでの部分として一定のものに限る。）をいう。

⑸　**納税猶予分の相続税額**（措法70の7の2②五）

　　①の金額から②の金額を控除した残額をいう。

①　対象非上場株式等の価額を経営承継相続人等に係る相続税の課税価格とみなして計算した経営承継相続人等の相続税の額

②　対象非上場株式等の価額に100分の20を乗じて計算した金額を経営承継相続人等に係る相続税の課税価格とみなして計算した経営承継相続人等の相続税の額

(MEMO)

## 9−9 非上場株式等の贈与者が死亡した場合の 相続税の納税猶予及び免除

### 1. 非上場株式等の贈与者が死亡した場合の相続税の 納税猶予及び免除（措法70の7の4①）　　重要度◎

　　非上場株式等の贈与者が死亡した場合の相続税の課税の特例の規定によりその 贈与者から相続又は遺贈により取得をしたものとみなされた対象受贈非上場株式 等につきこの規定の適用を受けようとする経営相続承継受贈者が、相続税の期限 内申告書の提出により納付すべき相続税の額のうち、納税猶予分の相続税につい ては、申告期限までに納税猶予分の相続税額に相当する担保を提供した場合に限 り、納付の規定にかかわらず、経営相続承継受贈者の死亡の日まで、その納税を 猶予する。

### 2. 適用関係（措法70の7の4⑥）　　重要度○

　　対象受贈非上場株式等について1の規定の適用を受ける場合には、その贈与者 から相続又は遺贈により取得をした非上場株式等（その対象受贈非上場株式等に係 る会社の株式等に限る。）については、非上場株式等についての相続税の納税猶予 及び免除の規定の適用を受けることができない。

### 3. 手　続（措法70の7の4⑦⑧⑭）　　重要度◎

⑴　1の規定は、相続税の期限内申告書に、①の事項の記載がない場合又は② の事項を記載した書類その他一定の書類の添付がない場合には、適用しない。
　①　この規定の適用を受けようとする旨
　②イ　対象受贈非上場株式等の明細
　　ロ　納税猶予分の相続税額の計算に関する明細
　　ハ　その他一定の事項
⑵　経営相続承継受贈者は、その贈与者の死亡の日の翌日から猶予中相続税額 の全部につき猶予期限が確定する日までの間に経営相続報告基準日が存する 場合には、届出期限までに、継続届出書を納税地の所轄税務署長に提出しな ければならない。
⑶　⑵の規定の適用については、税務署長がやむを得ない事情があると認める ときは、この限りでない。

| 4．納税猶予期限 | 重要度○ |

**(1)　原　則**（措法70の7の4①）

　　経営相続承継受贈者の死亡の日

**(2)　特　則**（措法70の7の4③⑨）

　①　経営相続承継期間内

　　　経営相続承継期間内に次のいずれかに該当することとなった場合には、それぞれの日から2月を経過する日

　　イ　代表権を有しないこととなった場合‥‥‥　有しないこととなった日

　　ロ　従業員数確認期間の末日における常時使用従業員数の平均が贈与の時における常時使用従業員数の100分の80を下回る数となった場合

　　　　‥‥‥‥‥‥‥‥‥‥‥‥‥‥‥‥‥‥‥‥　従業員数確認期間の末日

　　ハ　経営相続承継受贈者及び経営相続承継受贈者と特別の関係がある者の有する議決権の数の合計が総株主等議決権数の100分の50以下となった場合‥‥‥‥‥‥‥‥‥‥‥‥‥‥‥‥‥　100分の50以下となった日

　　ニ　経営相続承継受贈者と特別の関係がある者のうちいずれかの者が、経営相続承継受贈者が有する議決権の数を超える数の議決権を有することとなった場合‥‥‥‥‥‥‥‥‥‥‥‥‥‥‥　有することとなった日

　　ホ　経営相続承継受贈者が対象相続非上場株式等の一部の譲渡等をした場合‥‥‥‥‥‥‥‥‥‥‥‥‥‥‥‥‥‥‥‥‥‥‥‥　譲渡等をした日

　　ヘ　経営相続承継受贈者が対象相続非上場株式等の全部の譲渡等をした場合‥‥‥‥‥‥‥‥‥‥‥‥‥‥‥‥‥‥‥‥‥‥‥‥　譲渡等をした日

　　ト　継続届出書の提出がなかった場合‥‥‥‥‥‥‥　届出期限の翌日

　②　経営相続承継期間後

　　　経営相続承継期間の末日の翌日から猶予中相続税額の全部につき猶予期限が確定する日までの間において、次のいずれかに該当することとなった場合には、それぞれの金額については、それぞれの日から2月を経過する日

　　イ　①ヘ又はトに該当する場合

　　　　‥‥‥猶予中相続税額について、それぞれに該当することとなった日

　　ロ　①ホに該当する場合

　　　　…猶予中相続税額のうち、譲渡等をした対象相続非上場株式等の数等に対応する一定の金額について、譲渡等をした日

テーマ
9

**199**

(1) **届出書による免除**（措法70の7の4⑫⑭）

① 次のいずれかに該当することとなった場合には、それぞれの相続税を免除する。

　イ　経営相続承継受贈者が死亡した場合

　　　……………………………………………猶予中相続税額に相当する相続税

　ロ　経営相続承継期間の末日の翌日以後に、その経営相続承継受贈者が免除対象贈与をした場合

　　　………………猶予中相続税額のうち、一定の金額に相当する相続税

② ①の場合において、経営相続承継受贈者又は経営相続承継受贈者の相続人（包括受遺者を含む。）は、その該当することとなった日から同日以後6月を経過する日までに、一定の届出書を納税地の所轄税務署長に提出しなければならない。

③ ②の規定の適用については、税務署長がやむを得ない事情があると認めるときは、この限りでない。

(2) **申請書による免除**（措法70の7の4⑫）

経営相続承継期間の末日の翌日以後に、次のいずれかに該当することとなった場合において、経営相続承継受贈者は、それぞれの相続税の免除を受けようとするときは、その該当することとなった日から2月を経過する日までに、一定の申請書を納税地の所轄税務署長に提出しなければならない。

① 経営相続承継受贈者が認定相続承継会社の非上場株式等の全部の譲渡等をした場合において、一定の金額の合計額が譲渡等の直前における猶予中相続税額に満たないとき…猶予中相続税額からその合計額を控除した残額

② 認定相続承継会社について破産手続開始の決定又は特別清算開始の命令があった場合……認定相続承継会社の解散の直前における猶予中相続税額

## ６．利子税の納付 （措法70の7の4⑮） 重要度○

経営相続承継受贈者は、4(2)の場合には、申告期限の翌日から納税猶予期限までの期間に応じ、一定の割合を乗じて計算した利子税を、相続税にあわせて納付しなければならない。

## 7．用語の意義　重要度○

(1)　**認定相続承継会社**（措法70の7の4②一）

　　中小企業における経営の承継の円滑化に関する法律に規定する中小企業者のうち円滑化法認定を受けた会社で、相続の開始の時において、次の要件の全てを満たすものをいう。

①　常時使用従業員の数が1人以上であること。

②　資産保有型会社又は資産運用型会社のうち一定のものに該当しないこと。

③　その会社及びその会社と特別の関係がある会社（以下「会社等」という。）の株式等が、非上場株式等に該当すること。

④　その会社等が、風俗営業会社に該当しないこと。

⑤　①から④のほか、会社の円滑な事業の運営を確保するために必要とされる要件として一定のものを備えているものであること。

(2)　**経営相続承継受贈者**（措法70の7の4②三）

　　非上場株式等についての贈与税の納税猶予の規定を受ける経営承継受贈者で、次の要件の全てを満たす者をいう。

①　相続開始の時において、その認定相続承継会社の代表権を有していること。

②　相続開始の時において、その者及びその者と特別の関係がある者の有する議決権の数の合計が、総株主等議決権数の100分の50を超える数であること。

③　相続開始の時において、その者が有する議決権の数が、その者と特別の関係がある者のうちいずれの者が有する議決権の数をも下回らないこと。

(3)　**対象相続非上場株式等**（措法70の7の4①）

　　対象受贈非上場株式等（認定相続承継会社の株式等に限る。）で相続税の期限内申告書にこの規定の適用を受けようとする旨の記載があるもの（相続の開始の時における対象受贈非上場株式等に係る認定相続承継会社の発行済株式又は出資の総数又は総額の3分の2に達するまでの部分として一定のものに限る。）をいう。

(4)　**納税猶予分の相続税額**（措法70の7の4②四）

　　①の金額から②の金額を控除した残額をいう。

①　対象相続非上場株式等の価額を経営相続承継受贈者に係る相続税の課税価格とみなして計算した経営相続承継受贈者の相続税の額

②　対象相続非上場株式等の価額に100分の20を乗じて計算した金額を経営相続承継受贈者に係る相続税の課税価格とみなして計算した経営相続承継受贈者の相続税の額

テーマ

**9**

## 9−10　非上場株式等についての贈与税の納税猶予及び免除の特例

### 1．非上場株式等についての贈与税の納税猶予及び免除の特例（措法70の7の5①）

重要度◎

　　特例認定贈与承継会社の非上場株式等を有していた個人として一定の者（その特例認定贈与承継会社の非上場株式等について既にこの規定の適用に係る贈与をしているものを除く。以下「特例贈与者」という。）が特例経営承継受贈者にその特例認定贈与承継会社の非上場株式等の贈与（平成30年1月1日から令和9年12月31日までの間の最初のこの規定の適用に係る贈与及びその贈与の日から特例経営贈与承継期間の末日までの間に申告期限が到来する贈与に限る。）をした場合において、その贈与が次の区分に応じそれぞれの贈与であるときは、贈与税の期限内申告書の提出により納付すべき贈与税の額のうち、納税猶予分の贈与税については、申告期限までに納税猶予分の贈与税額に相当する担保を提供した場合に限り、納付の規定にかかわらず、その特例贈与者（その特例贈与者の免除対象贈与に係るものである場合の納税猶予分の贈与税については、免除対象贈与をした最初の特例経営承継受贈者に特例認定贈与承継会社の非上場株式等の贈与をした者。以下3及び4において同じ。）の死亡の日まで、その納税を猶予する。

(1)　特例経営承継受贈者が1人である場合

　　　次の区分に応じそれぞれの贈与

①　$A+B \geqq C \times \dfrac{2}{3}$　である場合……………………$C \times \dfrac{2}{3} － B$ 以上の贈与

②　$A+B < C \times \dfrac{2}{3}$　である場合…………………Aの全ての贈与

　　A＝特例贈与者が贈与の直前に有していた非上場株式等の数等

　　B＝特例経営承継受贈者が贈与の直前に有していた非上場株式等の数等

　　C＝特例認定贈与承継会社の発行済株式等の総数等

(2)　特例経営承継受贈者が2人又は3人である場合

　　　贈与後におけるいずれの特例経営承継受贈者の有する非上場株式等の数等が特例認定贈与承継会社の発行済株式等の総数等の10分の1以上となる贈与であって、かつ、いずれの特例経営承継受贈者の有する非上場株式等の数等がその特例贈与者の有する非上場株式等の数等を上回る贈与

## 2．手 続 <small>(措法70の7の5⑤⑥㉑)</small> 重要度◎

⑴ 1の規定は、贈与税の期限内申告書に、①の事項の記載がない場合又は②の事項を記載した書類の添付がない場合には、適用しない。

① この規定の適用を受けようとする旨

②イ 非上場株式等の明細

ロ 納税猶予分の贈与税額の計算に関する明細

ハ その他一定の事項

⑵ 特例経営承継受贈者は、申告期限の翌日から猶予中贈与税額の全部につき猶予期限が確定する日までの間に経営贈与報告基準日が存する場合には、届出期限までに、継続届出書を納税地の所轄税務署長に提出しなければならない。

⑶ ⑵の規定の適用については、税務署長がやむを得ない事情があると認めるときは、この限りでない。

## 3．納税猶予期限 重要度○

⑴ **原 則** <small>(措法70の7の5①)</small>

特例贈与者の死亡の日

⑵ **特 則** <small>(措法70の7の5③⑧)</small>

① 特例経営贈与承継期間内

特例経営贈与承継期間内に次のいずれかに該当することとなった場合には、それぞれの日から2月を経過する日

イ 代表権を有しないこととなった場合‥‥‥‥有しないこととなった日

ロ 特例経営承継受贈者及び特例経営承継受贈者と特別の関係がある者の有する議決権の数の合計が総株主等議決権数の100分の50以下となった場合‥‥‥‥‥‥‥‥‥‥‥‥‥‥‥‥‥‥‥‥100分の50以下となった日

ハ 特例経営承継受贈者と特別の関係がある者のうちいずれかの者（他の特例経営承継受贈者、特例経営承継相続人等及び特例経営相続承継受贈者を除く。）が、特例経営承継受贈者が有する議決権の数を超える数の議決権を有することとなった場合‥‥‥‥‥‥‥‥‥‥‥‥‥‥有することとなった日

ニ 特例経営承継受贈者が特例対象受贈非上場株式等の一部の譲渡等をした場合‥‥‥‥‥‥‥‥‥‥‥‥‥‥‥‥‥‥‥‥‥‥‥‥譲渡等をした日

ホ 特例経営承継受贈者が特例対象受贈非上場株式等の全部の譲渡等をした場合‥‥‥‥‥‥‥‥‥‥‥‥‥‥‥‥‥‥‥‥‥‥‥‥譲渡等をした日

ヘ 継続届出書の提出がなかった場合‥‥‥‥‥‥届出期限の翌日

テーマ<br>9

② 特例経営贈与承継期間後

　特例経営贈与承継期間の末日の翌日から猶予中贈与税額の全部につき猶
予期限が確定する日までの間において、次のいずれかに該当することとな
った場合には、それぞれの金額については、それぞれの日から2月を経過す
る日

　イ　①ホ又はヘに該当する場合

　　　………猶予中贈与税額について、それぞれに該当することとなった日

　ロ　①ニに該当する場合

　　　…猶予中贈与税額のうち、譲渡等をした特例対象受贈非上場株式等の
　　　数等に対応する一定の金額について、譲渡等をした日

---

## 4．納税猶予額の免除　　　　　　　　　　　　　　　　　　　重要度○

(1)　**届出書による免除**（措法70の7の5⑪㉑）

　①　次のいずれかに該当することとなった場合には、それぞれの贈与税を免
除する。

　　イ　**特例贈与者の死亡の時以前に特例経営承継受贈者が死亡した場合**

　　　…………………………………………猶予中贈与税額に相当する贈与税

　　ロ　**特例贈与者が死亡した場合**

　　　………………猶予中贈与税額のうち、一定の金額に相当する贈与税

　　ハ　特例経営贈与承継期間の末日の翌日以後にその特例経営承継受贈者が
　　　**免除対象贈与をした場合**

　　　………………猶予中贈与税額のうち、一定の金額に相当する贈与税

　②　①の場合において、特例経営承継受贈者又は特例経営承継受贈者の相続
人（包括受遺者を含む。）は、その該当することとなった日から同日以後6
月（①ロの場合にあっては、10月）を経過する日までに、一定の届出書を納
税地の所轄税務署長に提出しなければならない。

　③　②の規定の適用については、税務署長がやむを得ない事情があると認め
るときは、この限りでない。

(2)　**申請書による免除**（措法70の7の5⑪）

　　特例経営贈与承継期間の末日の翌日以後に、次のいずれかに該当することとなった場合において、特例経営承継受贈者は、それぞれの贈与税の免除を受けようとするときは、その該当することとなった日から2月を経過する日までに、一定の申請書を納税地の所轄税務署長に提出しなければならない。

①　特例経営承継受贈者が特例認定贈与承継会社の非上場株式等の全部の譲渡等をした場合において、一定の金額の合計額が譲渡等の直前における猶予中贈与税額に満たないとき

　　　　　………………猶予中贈与税額からその合計額を控除した残額

②　特例認定贈与承継会社について破産手続開始の決定又は特別清算開始の命令があった場合

　　　　　…………特例認定贈与承継会社の解散の直前における猶予中贈与税額

## 5．利子税の納付（措法70の7の5⑫）　　重要度○

　　特例経営承継受贈者は、3(2)の場合には、申告期限の翌日から納税猶予期限までの期間に応じ、一定の割合を乗じて計算した利子税を、贈与税にあわせて納付しなければならない。

## 6．非上場株式等の特例贈与者が死亡した場合の相続税の課税の特例（措法70の7の7①②）　　重要度◎

(1)　1の規定の適用を受ける特例経営承継受贈者に係る特例贈与者が死亡した場合（その死亡の時以前にその特例経営承継受贈者が死亡した場合を除く。）には、その特例贈与者の死亡に係る相続税については、その特例経営承継受贈者がその特例対象受贈非上場株式等をその特例贈与者から相続（その特例経営承継受贈者が相続人以外の者である場合には、遺贈）により取得したものとみなす。

　　この場合において、その相続税の課税価格の計算の基礎に算入すべきその特例対象受贈非上場株式等の価額については、その贈与の時における価額による。

テーマ
9

(2) 特例経営承継受贈者に係る特例贈与者が免除対象贈与をした場合における
(1)の規定の適用については、その特例経営承継受贈者に係る前の贈与者（免
除対象贈与をした最初の特例経営承継受贈者に特例認定贈与承継会社の非上場株式
等の贈与をした者をいう。）が死亡した場合（その死亡の時以前にその特例経営承
継受贈者が死亡した場合を除く。）には、当該前の贈与者の死亡に係る相続税に
ついては、その特例経営承継受贈者がその特例対象受贈非上場株式等を当該
前の贈与者から相続（その特例経営承継受贈者が相続人以外の者である場合には、
遺贈）により取得したものとみなす。

この場合において、その相続税の課税価格の計算の基礎に算入すべきその
特例対象受贈非上場株式等の価額については、当該前の贈与（免除対象贈与
をした最初の特例経営承継受贈者に対する特例認定贈与承継会社の非上場株式等の
贈与をいう。）の時における価額による。

## 7．用語の意義　　　　　　　　　　　　　　　重要度○

(1) **特例贈与者**（措法70の7の5①、措令40の8の5①）
次の区分に応じそれぞれの者とする。
① ②以外の場合
贈与の時前において、特例認定贈与承継会社の代表権を有していた個人
で、次の要件の全てを満たすもの
イ　贈与の直前において、その個人及びその個人と特別の関係がある者の
議決権の数の合計が総株主等議決権数の100分の50を超える数であるこ
と。
ロ　贈与の直前において、その個人が有する議決権の数が、その個人と特
別の関係がある者（特例経営承継受贈者となる者を除く。）のうちいずれの
者が有する議決権の数をも下回らないこと。
ハ　贈与の時において、その個人が特例認定贈与承継会社の代表権を有し
ていないこと。
② 贈与の直前において、次のいずれかに該当する者がある場合
特例認定贈与承継会社の非上場株式等を有していた個人で、贈与の時に
おいて代表権を有していないもの
イ　特例認定贈与承継会社の非上場株式等について、非上場株式等につい
ての贈与税の納税猶予及び免除の特例、非上場株式等についての相続税
の納税猶予及び免除の特例又は非上場株式等の特例贈与者が死亡した場
合の相続税の納税猶予及び免除の特例の規定の適用を受けている者

　　ロ　①の者から1の規定の適用に係る贈与により特例認定贈与承継会社の
　　　非上場株式等の取得をしている者（イの者を除く。）
　　ハ　非上場株式等についての相続税の納税猶予及び免除の特例の規定の適
　　　用に係る被相続人から相続又は遺贈により特例認定贈与承継会社の非上
　　　場株式等の取得をしている者（イの者を除く。）

(2)　**特例認定贈与承継会社**（措法70の7の5②一）
　　中小企業における経営の承継の円滑化に関する法律に規定する中小企業者
　のうち特例円滑化法認定を受けた会社で、贈与の時において、次の要件の全
　てを満たすものをいう。
　①　常時使用従業員の数が1人以上であること。
　②　資産保有型会社又は資産運用型会社のうち一定のものに該当しないこと。
　③　その会社及びその会社と特別の関係がある会社（以下「会社等」という。）
　　の株式等が、非上場株式等に該当すること。
　④　その会社等が、風俗営業会社に該当しないこと。
　⑤　①から④のほか、会社の円滑な事業の運営を確保するために必要とされ
　　る要件として一定のものを備えているものであること。

(3)　**特例経営承継受贈者**（措法70の7の5②六）
　　特例贈与者から贈与により特例認定贈与承継会社の非上場株式等の取得を
　した個人で、次の要件の全てを満たす者（その者が二人又は三人以上ある場合に
　は、その特例認定贈与承継会社が定めた二人又は三人までに限る。）をいう。
　①　その贈与の日において18歳以上であること。
　②　その贈与の時において、その特例認定贈与承継会社の代表権を有してい
　　ること。
　③　その贈与の時において、その個人及びその個人と特別の関係がある者の
　　有する議決権の数の合計が、総株主等議決権数の100分の50を超える数で
　　あること。
　④　次の区分に応じそれぞれの要件を満たしていること。
　　イ　その個人が一人の場合
　　　　その贈与の時において、その個人が有する議決権の数が、その個人と
　　　特別の関係がある者のうちいずれの者（他の特例経営承継受贈者、特例経
　　　営承継相続人等及び特例経営相続承継受贈者を除く。ロにおいて同じ。）が有す
　　　る議決権の数をも下回らないこと。

テーマ
•••••
**9**

ロ　その個人が二人又は三人の場合

　　その贈与の時において、その個人が有する議決権の数が、総株主等議決権数の100分の10以上であること及びその個人と特別の関係がある者のうちいずれの者が有する議決権の数をも下回らないこと。

⑤　その贈与の時から申告期限（その申告期限前にその個人が死亡した場合には、その死亡の日）まで引き続きその贈与により取得をしたその特例対象受贈非上場株式等の全てを有していること。

⑥　その贈与の日まで引き続き3年以上にわたりその特例認定贈与承継会社の役員その他の地位として一定のものを有していること。

⑦　特例認定贈与承継会社の非上場株式等について非上場株式等についての贈与税の納税猶予及び免除、非上場株式等についての相続税の納税猶予及び免除又は非上場株式等の贈与者が死亡した場合の相続税の納税猶予及び免除の適用を受けていないこと。

⑧　その特例認定贈与承継会社の経営を確実に承継すると認められる要件として一定のものを満たしていること。

⑷　**特例対象受贈非上場株式等**（措法70の7の5①）

　　非上場株式等で贈与税の期限内申告書にこの規定の適用を受けようとする旨の記載があるものをいう。

⑸　**納税猶予分の贈与税額**（措法70の7の5②八）

　　次の①又は②の区分に応じ①又は②の金額をいう。

①　暦年課税贈与である場合

　　特例対象受贈非上場株式等の価額を特例経営承継受贈者に係るその年分の贈与税の課税価格とみなして計算した金額

②　相続時精算課税贈与である場合

　　特例対象受贈非上場株式等の価額を特例経営承継受贈者に係るその年分の贈与税の課税価格とみなして、相続時精算課税の規定を適用して計算した金額

(MEMO)

## 9-11 非上場株式等についての相続税の納税猶予及び免除の特例

> **1. 非上場株式等についての相続税の納税猶予及び免除の特例** (措法70の7の6①) 重要度◎

　特例認定承継会社の非上場株式等を有していた個人として一定の者（以下「特例被相続人」という。）から相続又は遺贈によりその特例認定承継会社の非上場株式等の取得（平成30年1月1日から令和9年12月31日までの間の最初のこの規定の適用に係る相続又は遺贈による取得及びその取得の日から特例経営承継期間の末日までの間に申告期限が到来する相続又は遺贈による取得に限る。）をした特例経営承継相続人等が、相続税の期限内申告書の提出により納付すべき相続税の額のうち、納税猶予分の相続税については、申告期限までに納税猶予分の相続税額に相当する担保を提供した場合に限り、納付の規定にかかわらず、その特例経営承継相続人等の死亡の日まで、その納税を猶予する。

> **2. 非上場株式等が未分割である場合** (措法70の7の6⑤) 重要度○

　申告期限までに、非上場株式等の全部又は一部が分割されていない場合における1の規定の適用については、その分割されていない非上場株式等は、相続税の期限内申告書に1の規定の適用を受ける旨の記載をすることができないものとする。

> **3. 手続** (措法70の7の6⑥⑦㉒) 重要度◎

(1) 1の規定は、相続税の期限内申告書に、①の事項の記載がない場合又は②の事項を記載した書類の添付がない場合には、適用しない。
　① この規定の適用を受けようとする旨
　②イ 非上場株式等の明細
　　ロ 納税猶予分の相続税額の計算に関する明細
　　ハ その他一定の事項
(2) 特例経営承継相続人等は、申告期限の翌日から猶予中相続税額の全部につき猶予期限が確定する日までの間に経営報告基準日が存する場合には、届出期限までに、継続届出書を納税地の所轄税務署長に提出しなければならない。
(3) (2)の規定の適用については、税務署長がやむを得ない事情があると認めるときは、この限りでない。

## 4．納税猶予期限　　　　　　　　　　　　　　重要度○

(1) **原　則**（措法70の7の6①）

特例経営承継相続人等の死亡の日

(2) **特　則**（措法70の7の6③⑨）

① 特例経営承継期間内

特例経営承継期間内に次のいずれかに該当することとなった場合には、それぞれの日から2月を経過する日

イ 代表権を有しないこととなった場合‥‥‥‥有しないこととなった日

ロ 特例経営承継相続人等及び特例経営承継相続人等と特別の関係がある者の有する議決権の数の合計が総株主等議決権数の100分の50以下となった場合‥‥‥‥‥‥‥‥‥‥‥‥‥‥‥100分の50以下となった日

ハ 特例経営承継相続人等と特別の関係がある者のうちいずれかの者（他の特例経営承継相続人等、特例経営承継受贈者及び特例経営相続承継受贈者を除く。）が、特例経営承継相続人等が有する議決権の数を超える数の議決権を有することとなった場合‥‥‥‥‥‥‥‥有することとなった日

ニ 特例経営承継相続人等が特例対象非上場株式等の一部の譲渡等をした場合‥‥‥‥‥‥‥‥‥‥‥‥‥‥‥‥‥‥‥‥‥‥‥譲渡等をした日

ホ 特例経営承継相続人等が特例対象非上場株式等の全部の譲渡等をした場合‥‥‥‥‥‥‥‥‥‥‥‥‥‥‥‥‥‥‥‥‥‥‥譲渡等をした日

ヘ 継続届出書の提出がなかった場合‥‥‥‥‥‥‥届出期限の翌日

② 特例経営承継期間後

特例経営承継期間の末日の翌日から猶予中相続税額の全部につき猶予期限が確定する日までの間において、次のいずれかに該当することとなった場合には、それぞれの金額については、それぞれの日から2月を経過する日

イ ①ホ又はヘに該当する場合

‥‥猶予中相続税額について、それぞれに該当することとなった日

ロ ①ニに該当する場合

‥猶予中相続税額のうち、譲渡等をした特例対象非上場株式等の数等に対応する一定の金額について、譲渡等をした日

## 5．納税猶予額の免除 重要度○

(1) **届出書による免除**（措法70の7の6⑫㉒）

① 次のいずれかに該当することとなった場合には、それぞれの相続税を免除する。

　イ 特例経営承継相続人等が死亡した場合
　　　……………………………………………猶予中相続税額に相当する相続税

　ロ 特例経営承継期間の末日の翌日以後に、その特例経営承継相続人等が免除対象贈与をした場合
　　　………………………猶予中相続税額のうち、一定の金額に相当する相続税

② ①の場合において、特例経営承継相続人等又は特例経営承継相続人等の相続人（包括受遺者を含む。）は、その該当することとなった日から同日以後6月を経過する日までに、一定の届出書を納税地の所轄税務署長に提出しなければならない。

③ ②の規定の適用については、税務署長がやむを得ない事情があると認めるときは、この限りでない。

(2) **申請書による免除**（措法70の7の6⑫）

特例経営承継期間の末日の翌日以後に、次のいずれかに該当することとなった場合において、特例経営承継相続人等は、それぞれの相続税の免除を受けようとするときは、その該当することとなった日から2月を経過する日までに、一定の申請書を納税地の所轄税務署長に提出しなければならない。

① 特例経営承継相続人等が特例認定承継会社の非上場株式等の全部の譲渡等をした場合において、一定の金額の合計額が譲渡等の直前における猶予中相続税額に満たないとき
　　　………………………………猶予中相続税額からその合計額を控除した残額

② 特例認定承継会社について破産手続開始の決定又は特別清算開始の命令があった場合
　　　………………特例認定承継会社の解散の直前における猶予中相続税額

## 6．利子税の納付（措法70の7の6㉓） 重要度○

特例経営承継相続人等は、4(2)の場合には、申告期限の翌日から納税猶予期限までの期間に応じ、一定の割合を乗じて計算した利子税を、相続税にあわせて納付しなければならない。

## 7．用語の意義　　　　　　　　　　　　　　　　　　　　重要度△

(1)　**特例被相続人**（措法70の7の6①、措令40の8の6①）

次の区分に応じそれぞれの者とする。

①　②以外の場合

相続開始前において、特例認定承継会社の代表権を有していた個人で、次の要件の全てを満たすもの

イ　相続開始の直前において、その個人及びその個人と特別の関係がある者の有する議決権の数の合計が総株主等議決権数の100分の50を超える数であること。

ロ　相続開始の直前において、その個人が有する議決権の数が、その個人と特別の関係がある者（特例経営承継相続人等となる者を除く。）のうちいずれの者が有する議決権の数をも下回らないこと。

②　相続開始の直前において、次のいずれかに該当する者がある場合

特例認定承継会社の非上場株式等を有していた個人

イ　特例認定承継会社の非上場株式等について、非上場株式等についての贈与税の納税猶予及び免除の特例、非上場株式等についての相続税の納税猶予及び免除の特例又は非上場株式等の特例贈与者が死亡した場合の相続税の納税猶予及び免除の特例の規定の適用を受けている者

ロ　非上場株式等についての贈与税の納税猶予及び免除の特例の規定の適用に係る贈与者から贈与により特例認定承継会社の非上場株式等の取得をしている者（イの者を除く。）

ハ　①の者から1の規定の適用に係る相続又は遺贈により特例認定承継会社の非上場株式等の取得をしている者（イの者を除く。）

(2)　**特例認定承継会社**（措法70の7の6②一）

中小企業における経営の承継の円滑化に関する法律に規定する中小企業者のうち特例円滑化法認定を受けた会社で、相続開始の時において、次の要件の全てを満たすものをいう。

①　常時使用従業員の数が1人以上であること。

②　資産保有型会社又は資産運用型会社のうち一定のものに該当しないこと。

③　その会社及びその会社と特別の関係がある会社（以下「会社等」という。）の株式等が、非上場株式等に該当すること。

④　その会社等が、風俗営業会社に該当しないこと。

⑤　①から④のほか、会社の円滑な事業の運営を確保するために必要とされる要件として一定のものを備えているものであること。

テーマ

9

**213**

⑶ **特例経営承継相続人等**（措法70の7の6②七）

特例被相続人から相続又は遺贈により特例認定承継会社の非上場株式等の取得をした個人で、次の要件の全てを満たす者（その者が二人又は三人以上ある場合には、その特例認定承継会社が定めた二人又は三人までに限る。）をいう。

① その相続開始の日の翌日から5月を経過する日において、その特例認定承継会社の代表権を有していること。

② その相続開始の時において、その個人及びその個人と特別の関係がある者の有する議決権の数の合計が、総株主等議決権数の100分の50を超える数であること。

③ 次の区分に応じそれぞれの要件を満たしていること。

　イ その個人が一人の場合

　　　その相続開始の時において、その個人が有する議決権の数が、その個人と特別の関係がある者のうちいずれの者（他の特例経営承継受贈者、特例経営承継相続人等及び特例経営相続承継受贈者を除く。ロにおいて同じ。）が有する議決権の数をも下回らないこと。

　ロ その個人が二人又は三人の場合

　　　その相続開始の時において、その個人が有する議決権の数が、総株主等議決権数の100分の10以上であること及びその個人と特別の関係がある者のうちいずれの者が有する議決権の数をも下回らないこと。

④ その相続開始の時から申告期限（その申告期限前にその個人が死亡した場合には、その死亡の日）まで引き続きその相続又は遺贈により取得をしたその特例対象非上場株式等の全てを有していること。

⑤ その特例認定承継会社の非上場株式等について非上場株式等についての贈与税の納税猶予及び免除、非上場株式等についての相続税の納税猶予及び免除又は非上場株式等の贈与者が死亡した場合の相続税の納税猶予及び免除の適用を受けていないこと。

⑥ その特例認定承継会社の経営を確実に承継すると認められる要件として一定のものを満たしていること。

⑷ **特例対象非上場株式等**（措法70の7の6①）

非上場株式等で相続税の期限内申告書にこの規定の適用を受けようとする旨の記載があるものをいう。

⑸ **納税猶予分の相続税額**（措法70の7の6②八）

特例対象非上場株式等の価額を特例経営承継相続人等に係る相続税の課税価格とみなして計算した特例経営承継相続人等の相続税の額

(MEMO)

# 9-12 非上場株式等の特例贈与者が死亡した場合の相続税の納税猶予及び免除の特例

## 1．非上場株式等の特例贈与者が死亡した場合の相続税の納税猶予及び免除の特例 （措法70の7の8①）　　　重要度◎

　　非上場株式等の特例贈与者が死亡した場合の相続税の課税の特例の規定により
その特例贈与者から相続又は遺贈により取得をしたものとみなされた特例対象受
贈非上場株式等につきこの規定の適用を受けようとする**特例経営相続承継受贈者**
が、相続税の期限内申告書の提出により納付すべき相続税の額のうち、納税猶予
分の相続税については、申告期限までに納税猶予分の相続税額に相当する担保を
提供した場合に限り、納付の規定にかかわらず、特例経営相続承継受贈者の死亡
の日まで、その納税を猶予する。

## 2．手　続 （措法70の7の8⑤⑥⑬）　　　重要度◎

(1)　1の規定は、相続税の期限内申告書に、①の事項の記載がない場合又は②
　　の事項を記載した書類その他一定の書類の添付がない場合には、適用しない。
　　①　この規定の適用を受けようとする旨
　　②イ　特例対象受贈非上場株式等の明細
　　　ロ　納税猶予分の相続税額の計算に関する明細
　　　ハ　その他一定の事項
(2)　特例経営相続承継受贈者は、その特例贈与者の死亡の日の翌日から猶予中
　　相続税額の全部につき猶予期限が確定する日までの間に経営相続報告基準日
　　が存する場合には、届出期限までに、継続届出書を納税地の所轄税務署長に
　　提出しなければならない。
(3)　(2)の規定の適用については、税務署長がやむを得ない事情があると認める
　　ときは、この限りでない。

## 3．納税猶予期限　　　　　　　　　　　　　　　　　重要度○

(1)　**原　則**（措法70の7の8①）

　　特例経営相続承継受贈者の死亡の日

(2)　**特　則**（措法70の7の8③⑧）

　①　特例経営相続承継期間内

　　　特例経営相続承継期間内に次のいずれかに該当することとなった場合には、それぞれの日から2月を経過する日

　　イ　代表権を有しないこととなった場合‥‥‥‥‥有しないこととなった日

　　ロ　特例経営相続承継受贈者及び特例経営相続承継受贈者と特別の関係がある者の有する議決権の数の合計が総株主等議決権数の100分の50以下となった場合‥‥‥‥‥‥‥‥‥‥‥‥‥100分の50以下となった日

　　ハ　特例経営相続承継受贈者と特別の関係がある者のうちいずれかの者（他の特例経営相続承継受贈者、特例経営承継受贈者及び特例経営承継相続人等を除く。）が、特例経営相続承継受贈者が有する議決権の数を超える数の議決権を有することとなった場合‥‥‥‥‥‥有することとなった日

　　ニ　特例経営相続承継受贈者が特例対象相続非上場株式等の一部の譲渡等をした場合‥‥‥‥‥‥‥‥‥‥‥‥‥‥‥‥‥‥‥‥譲渡等をした日

　　ホ　特例経営相続承継受贈者が特例対象相続非上場株式等の全部の譲渡等をした場合‥‥‥‥‥‥‥‥‥‥‥‥‥‥‥‥‥‥‥‥譲渡等をした日

　　ヘ　継続届出書が提出されなかった場合‥‥‥‥‥‥届出期限の翌日

　②　特例経営相続承継期間後

　　　特例経営相続承継期間の末日の翌日から猶予中相続税額の全部につき猶予期限が確定する日までの間において、次のいずれかに該当することとなった場合には、それぞれの金額については、それぞれの日から2月を経過する日

　　イ　①ホ又はヘに該当する場合

　　　　……猶予中相続税額について、それぞれに該当することとなった日

　　ロ　①ニに該当する場合

　　　　…猶予中相続税額のうち、譲渡等をした特例対象相続非上場株式等の数等に対応する一定の金額について、譲渡等をした日

テーマ
9

217

## 4．納税猶予額の免除 重要度○

**(1) 届出書による免除** (措法70の7の8⑪⑬)

① 次のいずれかに該当することとなった場合には、それぞれの相続税を免除する。

　イ　特例経営相続承継受贈者が死亡した場合

　　………………………………………………猶予中相続税額に相当する相続税

　ロ　特例経営相続承継期間の末日の翌日以後に、その特例経営相続承継受贈者が免除対象贈与をした場合

　　………………猶予中相続税額のうち、一定の金額に相当する相続税

② ①の場合において、特例経営相続承継受贈者又は特例経営相続承継受贈者の相続人（包括受遺者を含む。）は、その該当することとなった日から同日以後6月を経過する日までに、一定の届出書を納税地の所轄税務署長に提出しなければならない。

③ ②の規定の適用については、税務署長がやむを得ない事情があると認めるときは、この限りでない。

**(2) 申請書による免除** (措法70の7の8⑪)

特例経営相続承継期間の末日の翌日以後に、次のいずれかに該当することとなった場合において、特例経営相続承継受贈者は、それぞれの相続税の免除を受けようとするときは、その該当することとなった日から2月を経過する日までに、一定の申請書を納税地の所轄税務署長に提出しなければならない。

① 特例経営相続承継受贈者が特例認定相続承継会社の非上場株式等の全部の譲渡等をした場合において、一定の金額の合計額が譲渡等の直前における猶予中相続税額に満たないとき

　　…………………………猶予中相続税額からその合計額を控除した残額

② 特例認定相続承継会社について破産手続開始の決定又は特別清算開始の命令があった場合

　　…………特例認定相続承継会社の解散の直前における猶予中相続税額

## 5．利子税の納付 (措法70の7の8⑱) 重要度○

特例経営相続承継受贈者は、3(2)の場合には、申告期限の翌日から納税猶予期限までの期間に応じ、一定の割合を乗じて計算した利子税を、相続税にあわせて納付しなければならない。

## 6．用語の意義　　　　　　　　　　　　　　重要度△

(1)　**特例認定相続承継会社**（措法70の7の8②二）

　　中小企業における経営の承継の円滑化に関する法律に規定する中小企業者
のうち特例円滑化法認定を受けた会社で、相続の開始の時において、次の要
件の全てを満たすものをいう。

①　常時使用従業員の数が1人以上であること。

②　資産保有型会社又は資産運用型会社のうち一定のものに該当しないこと。

③　その会社及びその会社と特別の関係がある会社（以下「会社等」という。）
の株式等が、非上場株式等に該当すること。

④　その会社等が、風俗営業会社に該当しないこと。

⑤　①から④のほか、会社の円滑な事業の運営を確保するために必要とされ
る要件として一定のものを備えているものであること。

(2)　**特例経営相続承継受贈者**（措法70の7の8②一）

　　非上場株式等についての贈与税の納税猶予及び免除の特例の規定の適用を
受ける者で、次の要件の全てを満たすものをいう。

①　相続の開始の時において、その特例認定相続承継会社の代表権を有して
いること。

②　相続の開始の時において、その者及びその者と特別の関係がある者の有
する議決権の数の合計が、総株主等議決権数の100分の50を超える数であ
ること。

③　相続の開始の時において、その者が有する議決権の数がその者と特別の
関係がある者のうちいずれの者（他の特例経営承継受贈者、特例経営承継相続
人等及び特例経営相続承継受贈者を除く。）が有する議決権の数をも下回らな
いこと。

(3)　**特例対象相続非上場株式等**（措法70の7の8①）

　　特例対象受贈非上場株式等（特例認定相続承継会社の株式等に限る。）で相続
税の期限内申告書にこの規定の適用を受けようとする旨の記載があるものを
いう。

(4)　**納税猶予分の相続税額**（措法70の7の8②四）

　　特例対象相続非上場株式等の価額を特例経営相続承継受贈者に係る相続税
の課税価格とみなして計算した特例経営相続承継受贈者の相続税の額

テーマ
9

## 9-13 医療法人の持分に係る経済的利益についての贈与税の納税猶予及び免除

### 1．医療法人の持分に係る経済的利益についての贈与税の納税猶予及び免除 （措法70の7の9①）　重要度◎

　認定医療法人の持分を有する個人（以下「贈与者」という。）がその持分の全部又は一部の放棄をしたことにより、その認定医療法人の持分を有する他の個人（以下「受贈者」という。）に対して贈与税が課される場合には、贈与税の期限内申告書の提出により納付すべき贈与税の額のうち、納税猶予分の贈与税については、申告期限までに納税猶予分の贈与税額に相当する担保を提供した場合に限り、納付の規定にかかわらず、移行期限まで、その納税を猶予する。

### 2．相続時精算課税の適用除外 （措法70の7の9③）　重要度○

　特定贈与者が認定医療法人の持分を放棄したことにより経済的利益について1の規定の適用を受ける場合には、その経済的利益については、相続時精算課税の規定は、適用しない。

### 3．適用除外 （措法70の7の9④）　重要度◎

　1の規定の適用を受けようとする受贈者が、1の贈与者による認定医療法人の持分の放棄があった日から申告期限までの間にその認定医療法人の持分に基づき出資額に応じた払戻しを受けた場合もしくはその持分の譲渡をした場合又は医療法人の持分に係る経済的利益についての贈与税の税額控除の規定の適用を受ける場合には、1の規定は、適用しない。

### 4．手続 （措法70の7の9⑧）　重要度◎

　1の規定は、贈与税の期限内申告書に、(1)の事項の記載がない場合又は(2)の事項を記載した書類の添付がない場合には、適用しない。
　(1)　この規定の適用を受けようとする旨
　(2)①　持分の明細
　　②　納税猶予分の贈与税額の計算に関する明細
　　③　その他一定の事項

## 5．納税猶予期限　重要度○

(1)　**原　則**（措法70の7の9①）

　　移行期限

(2)　**特　則**（措法70の7の9⑤⑥）

　①　納税猶予分の贈与税額の全部について猶予期限が確定する場合

　　　受贈者又は認定医療法人について次のいずれかに該当することとなった場合には、それぞれの日から2月を経過する日

　　イ　受贈者が申告期限から移行期限までの間にその認定医療法人の持分に基づき出資額に応じた払戻しを受けた場合……………払戻しを受けた日

　　ロ　受贈者が申告期限から移行期限までの間にその認定医療法人の持分の譲渡をした場合……………………………………………譲渡をした日

　　ハ　移行期限までに新医療法人への移行をしなかった場合………移行期限

　　ニ　認定医療法人の認定移行計画について厚生労働大臣認定が取り消された場合…………………………………………………取り消された日

　　ホ　認定医療法人が解散をした場合（合併により消滅をする場合を除く。）
　　　…………………………………………………………………解散をした日

　　ヘ　認定医療法人が合併により消滅をした場合（一定の場合を除く。）
　　　…………………………………………………………………消滅をした日

　②　納税猶予分の贈与税額の一部について猶予期限が確定する場合

　　　認定医療法人が移行期限までに基金拠出型医療法人への移行をする場合において、受贈者が有するその認定医療法人の持分の一部を放棄し、その残余の部分をその基金拠出型医療法人の基金として拠出したときは、納税猶予分の贈与税額のうち基金として拠出した額に対応する一定の贈与税については、次の日から2月を経過する日…都道府県知事の認可があった日

## 6．納税猶予額の免除（措法70の7の9⑪）　重要度○

　移行期限までに次のいずれかに該当することとなった場合には、次の区分に応じそれぞれの金額に相当する贈与税は、免除する。

(1)　受贈者が有している認定医療法人の持分の全てを放棄した場合
　　…………………………………………………納税猶予分の贈与税額

(2)　認定医療法人が基金拠出型医療法人への移行をする場合において、受贈者が有しているその認定医療法人の持分の一部を放棄し、その残余の部分をその基金拠出型医療法人の基金として拠出したとき
　　………………………納税猶予分の贈与税額から一定の金額を控除した残額

テーマ
9

**221**

## ７．利子税の納付 （措法70の７の９⑫） 重要度○

　受贈者は、５(2)の場合には、申告期限の翌日から納税猶予期限までの期間に応じ、一定の割合を乗じて計算した利子税を、贈与税にあわせて納付しなければならない。

## ８．用語の意義 重要度△

(1)　**認定医療法人** （措法70の７の９①）
　平成26年改正医療法施行日から令和８年12月31日までの間に厚生労働大臣認定を受けた医療法人をいう。

(2)　**納税猶予分の贈与税額** （措法70の７の９①）
　経済的利益の価額を受贈者に係るその年分の贈与税の課税価格とみなして計算した贈与税の額をいう。

（MEMO）

## 9-14　医療法人の持分に係る経済的利益についての贈与税の税額控除

### 1．医療法人の持分に係る経済的利益についての贈与税の税額控除（措法70の7の10①）　　　　重要度◎

　　認定医療法人の持分を有する個人（以下「贈与者」という。）がその持分の全部又は一部の放棄をしたことにより、その認定医療法人の持分を有する他の個人（以下「受贈者」という。）に対して贈与税が課される場合において、その受贈者がその放棄の時から申告期限までの間にその有するその認定医療法人の持分の全部又は一部を放棄したときは、その受贈者については、算出贈与税額（在外財産に対する贈与税額の控除までの規定を適用した後の金額）から放棄相当贈与税額を控除した残額をもって、その納付すべき贈与税額とする。

### 2．相続時精算課税の適用除外（措法70の7の10③）　　　　重要度○

　　特定贈与者が認定医療法人の持分を放棄したことにより経済的利益について1の規定の適用を受ける場合には、その経済的利益については、相続時精算課税の規定は、適用しない。

### 3．適用除外（措法70の7の10④）　　　　重要度◎

　　1の規定の適用を受けようとする受贈者が、1の贈与者による認定医療法人の持分の放棄があった日から申告期限までの間にその認定医療法人の持分に基づき出資額に応じた払戻しを受けた場合又はその持分の譲渡をした場合には、1の規定は、適用しない。

### 4．手　続（措法70の7の10⑤）　　　　重要度◎

　　1の規定は、贈与税の期限内申告書に、(1)の事項の記載がない場合又は(2)の事項を記載した書類の添付がない場合には、適用しない。
　　(1)　この規定の適用を受けようとする旨
　　(2)①　持分の明細
　　　②　放棄相当贈与税額の計算に関する明細
　　　③　その他一定の事項

## 5．用語の意義　　　　　　　　　　　　　　　重要度△

(1)　**認定医療法人**（措法70の７の10①）

　　平成26年改正医療法施行日から令和８年12月31日までの間に厚生労働大臣
認定を受けた医療法人をいう。

(2)　**放棄相当贈与税額**（措法70の７の10②）

　　経済的利益の価額を受贈者に係るその年分の贈与税の課税価格とみなして
計算した贈与税の額のうち受贈者により法人の持分の放棄がされた部分に相
当する金額をいう。

テーマ
9

# 9-15 個人の死亡に伴い贈与又は遺贈が あったものとみなされる場合の特例

## 1．個人の死亡に伴い贈与又は遺贈があったものとみなされる場合の特例（措法70の7の11①②③）　　重要度〇

⑴　医療法人の持分についての相続税の納税猶予及び免除に規定する経過措置医療法人の持分を有する個人の死亡に伴いその経過措置医療法人の持分を有する他の個人のその持分の価額が増加した場合には、その持分の価額の増加による経済的利益に係るその他の利益の享受の規定の適用については、贈与により取得したとみなすものとする。

⑵　⑴の場合において、その経済的利益については、生前贈与加算の規定は適用しない。

⑶　⑴の場合において、経過措置医療法人が申告期限において認定医療法人であるときは、⑴の他の個人は、その経済的利益について、医療法人の持分に係る経済的利益についての贈与税の納税猶予及び免除の規定又は医療法人の持分に係る経済的利益についての贈与税の税額控除の規定の適用を受けることができる。

　　この場合において、死亡した個人は贈与者と、他の個人は受贈者とみなす。

⑷　⑴の規定は、⑴の他の個人が⑶の規定により医療法人の持分に係る経済的利益についての贈与税の納税猶予及び免除の規定又は医療法人の持分に係る経済的利益についての贈与税の税額控除の規定の適用を選択した場合を除き、適用しない。

## 2．用語の意義　　重要度△

⑴　**認定医療法人**（措法70の7の11②）

　　平成26年改正医療法施行日から令和8年12月31日までの間に厚生労働大臣認定を受けた医療法人をいう。

⑵　**経過措置医療法人**（措法70の7の12②）

　　平成18年医療法等改正法に規定する経過措置医療法人をいう。

(MEMO)

# 9-16 医療法人の持分についての相続税の納税猶予及び免除

## 1．医療法人の持分についての相続税の納税猶予及び免除
（措法70の7の12①）　　　重要度◎

　相続人等が被相続人から相続又は遺贈により経過措置医療法人の持分を取得した場合において、その経過措置医療法人が申告期限において認定医療法人であるときは、相続税の期限内申告書の提出により納付すべき相続税の額のうち、納税猶予分の相続税については、申告期限までに納税猶予分の相続税額に相当する担保を提供した場合に限り、納付の規定にかかわらず、移行期限まで、その納税を猶予する。

## 2．適用除外 （措法70の7の12③）　　　重要度○

　1の規定の適用を受けようとする相続人等が、その相続の開始の時から申告期限までの間に経過措置医療法人の持分に基づき出資額に応じた払戻しを受けた場合もしくはその持分の譲渡をした場合又は医療法人の持分についての相続税の税額控除の規定の適用を受ける場合には、1の規定は、適用しない。

## 3．持分が未分割である場合 （措法70の7の12④）　　　重要度◎

　申告期限までに、経過措置医療法人の持分の全部又は一部が分割されていない場合における1の規定の適用については、その分割されていない持分は、相続税の期限内申告書に1の規定の適用を受ける旨の記載をすることができないものとする。

## 4．手　続 （措法70の7の12⑧）　　　重要度◎

　1の規定は、相続税の期限内申告書に、(1)の事項の記載がない場合又は(2)の事項を記載した書類の添付がない場合には、適用しない。
　(1)　この規定の適用を受けようとする旨
　(2)①　持分の明細
　　②　納税猶予分の相続税額の計算に関する明細
　　③　その他一定の事項

## 5．納税猶予期限 　　　　　　　　　　　　　　　　　重要度○

(1) **原　則**（措法70の7の12①）

移行期限

(2) **特　則**（措法70の7の12⑤⑥）

① 納税猶予分の相続税額の全部について猶予期限が確定する場合

相続人等又は認定医療法人について次のいずれかに該当することとなった場合には、それぞれの日から2月を経過する日

イ 相続人等が申告期限から移行期限までの間にその認定医療法人の持分に基づき出資額に応じた払戻しを受けた場合…………払戻しを受けた日

ロ 相続人等が申告期限から移行期限までの間にその認定医療法人の持分の譲渡をした場合……………………………………………譲渡をした日

ハ 移行期限までに新医療法人への移行をしなかった場合………移行期限

ニ 認定医療法人の認定移行計画について厚生労働大臣認定が取り消された場合……………………………………………………取り消された日

ホ 認定医療法人が解散をした場合（合併により消滅をする場合を除く。）
…………………………………………………………………解散をした日

ヘ 認定医療法人が合併により消滅をした場合（一定の場合を除く。）
…………………………………………………………………消滅をした日

② 納税猶予分の相続税額の一部について猶予期限が確定する場合

認定医療法人が移行期限までに基金拠出型医療法人への移行をする場合において、相続人等が有するその認定医療法人の持分の一部を放棄し、その残余の部分をその基金拠出型医療法人の基金として拠出したときは、納税猶予分の相続税額のうち基金として拠出した額に対応する一定の相続税については、次の日から2月を経過する日…都道府県知事の認可があった日

## 6．納税猶予額の免除（措法70の7の12⑪）　　　　　　重要度○

移行期限までに次のいずれかに該当することとなった場合には、次の区分に応じそれぞれの金額に相当する相続税は、免除する。

(1) 相続人等が有している認定医療法人の持分の全てを放棄した場合
………………………………………………………納税猶予分の相続税額

(2) 認定医療法人が基金拠出型医療法人への移行をする場合において、相続人等が有しているその認定医療法人の持分の一部を放棄し、その残余の部分をその基金拠出型医療法人の基金として拠出したとき
………………………納税猶予分の相続税額から一定の金額を控除した残額

テーマ
9

## 7．利子税の納付 （措法70の7の12⑫） 重要度○

　相続人等は、5⑵の場合には、申告期限の翌日から納税猶予期限までの期間に応じ、一定の割合を乗じて計算した利子税を、相続税にあわせて納付しなければならない。

## 8．用語の意義 重要度△

(1)　**経過措置医療法人** （措法70の7の12②）
　　平成18年医療法等改正法に規定する経過措置医療法人をいう。

(2)　**認定医療法人** （措法70の7の12①）
　　平成26年改正医療法施行日から令和8年12月31日までの間に厚生労働大臣認定を受けた医療法人をいう。

(3)　**納税猶予分の相続税額** （措法70の7の12②）
　　持分の価額を相続人等に係る相続税の課税価格とみなして計算した相続人等の相続税の額をいう。

（MEMO）

**9−17** 医療法人の持分についての相続税の税額控除

## １．医療法人の持分についての相続税の税額控除
（措法70の 7 の13①）　　　　　　　重要度◎

　　相続人等が被相続人から相続又は遺贈により経過措置医療法人の持分を取得した場合において、その経過措置医療法人がその相続の開始の時において認定医療法人であり、かつ、その持分を取得した相続人等がその相続の開始の時から申告期限までの間にその有するその経過措置医療法人で厚生労働大臣認定を受けたものの持分の全部又は一部を放棄したときは、その相続人等については、算出相続税額（相続税額の加算から相続時精算課税に係る贈与税額控除までの規定を適用した後の金額）から放棄相当相続税額を控除した残額をもって、その納付すべき相続税額とする。

## ２．適用除外 （措法70の 7 の13③）　　　　　　　重要度○

　　１の規定の適用を受けようとする相続人等が、その相続の開始の時から申告期限までの間に、経過措置医療法人の持分に基づき出資額に応じた払戻しを受けた場合又はその持分の譲渡をした場合には、１の規定は、適用しない。

## ３．手　続 （措法70の 7 の13④）　　　　　　　重要度◎

　　１の規定は、相続税の期限内申告書に、⑴の事項の記載がない場合又は⑵の事項を記載した書類の添付がない場合には、適用しない。
　　⑴　この規定の適用を受けようとする旨
　　⑵①　持分の明細
　　　②　放棄相当相続税額の計算に関する明細
　　　③　その他一定の事項

## 4．用語の意義　　　　　　　　　　　　　　　重要度△

(1)　**経過措置医療法人**（措法70の7の12②）

平成18年医療法等改正法に規定する経過措置医療法人をいう。

(2)　**認定医療法人**（措法70の7の13①）

申告期限又は令和8年12月31日のいずれか早い日までに厚生労働大臣認定を受けた経過措置医療法人をいう。

(3)　**放棄相当相続税額**（措法70の7の13②）

持分の価額を相続人等に係る相続税の課税価格とみなして計算した相続税の額のうち相続人等により放棄がされた部分に相当する金額をいう。

## 9-18 医療法人の持分の放棄があった場合の贈与税の課税の特例

### 1．医療法人の持分の放棄があった場合の贈与税の課税の特例（措法70の7の14①）　重要度◎

　認定医療法人の持分を有する個人がその持分の全部又は一部の放棄（その認定医療法人がその移行期限までに新医療法人へ移行する場合におけるその移行の基因となる放棄に限るものとし、その個人の遺言による放棄を除く。）をしたことによりその認定医療法人が経済的利益を受けた場合であっても、その認定医療法人が受けたその経済的利益については、持分の定めのない法人に対する課税の規定は、適用しない。

### 2．課税される場合（措法70の7の14②）　重要度○

　1の規定の適用を受けた認定医療法人が、贈与税の申告期限からその認定医療法人が新医療法人への移行をした日から起算して6年を経過する日までの間に、厚生労働大臣認定が取り消された場合には、1の規定にかかわらず、その認定医療法人を個人とみなして、1の経済的利益について贈与税を課する。

### 3．手続（措法70の7の14⑤⑥）　重要度◎

⑴　1の規定は、贈与税の期限内申告書に、①の事項を記載し、②の書類その他一定の書類の添付がある場合に限り、適用する。
　①　この規定の適用を受けようとする旨
　②　経済的利益の明細
⑵　⑴の規定の適用については、税務署長がやむを得ない事情があると認めるときは、この限りでない。

## 4．修正申告の特則　　　　　　　　　　　　　　　重要度△

(1) **修正申告の特則**（措法70の7の14②）

　　2の場合において、その認定医療法人は、厚生労働大臣認定が取り消された日の翌日から2月以内に、1の規定の適用を受けた年分の贈与税についての修正申告書を提出し、かつ、その期限内にその修正申告書の提出により納付すべき税額を納付しなければならない。

(2) **国税通則法の適用**（措法70の7の14④）

　　(1)の修正申告書に対する国税通則法の適用については、期限内申告書とみなす。

（MEMO）

# 災害関係

# 特定土地等及び特定株式等に係る課税価格の計算の特例

## 1．相続税の課税価格の計算の特例　　　　　　重要度○

**(1) 内　容**（措法69の6①②）

① 特定非常災害発生日前に相続又は遺贈（被相続人からの相続時精算課税適用財産に係る贈与を含む。以下1において同じ。）により財産を取得した者があり、かつ、その相続又は遺贈に係る相続税の申告期限がその特定非常災害発生日以後である場合において、その者がその相続もしくは遺贈により取得した財産又は贈与により取得した財産（その特定非常災害発生日の属する年（その特定非常災害発生日が1月1日から贈与税の申告期限までの間にある場合には、その前年。以下2において同じ。）の1月1日からその特定非常災害発生日の前日までの間に取得したもので、生前贈与加算又は相続時精算課税の規定の適用を受けるものに限る。）でその特定非常災害発生日において所有していたもののうちに、特定土地等又は特定株式等があるときは、その特定土地等又は特定株式等については、相続税の課税価格に算入すべき価額又は生前贈与加算もしくは相続時精算課税の規定により相続税の課税価格に加算される贈与により取得した財産の価額は、評価の原則の規定にかかわらず、特定非常災害の発生直後の価額として一定の金額とすることができる。

② ①の規定は、特定非常災害発生日前に相続財産法人から相続財産の全部又は一部を与えられた者があり、かつ、その相続財産の全部又は一部の遺贈に係る相続税の申告期限がその特定非常災害発生日以後である場合において、その相続財産の全部又は一部でその特定非常災害発生日においてその者が所有していたもののうちに特定土地等又は特定株式等があるときについて準用する。

**(2) 手　続**（措法69の6③）

① (1)の規定は、(1)の申告書（期限後申告書及び修正申告書を含む。）又は更正請求書にこの規定の適用を受けようとする旨の記載がある場合に限り、適用する。

② ①の規定の適用については、税務署長がやむを得ない事情があると認めるときは、この限りでない。

(3)　**申告期限の特例**（措法69の 8 ①②）

①　同一の被相続人から相続又は遺贈により財産を取得した全ての者のうち
に(1)①の規定の適用を受けることができる者がいる場合において、その相
続もしくは遺贈により財産を取得した者又はその者の相続人（包括受遺者
を含む。以下同じ。）の相続税の申告期限が特定日（特定非常災害に係る国税通
則法の規定により延長された申告期限と特定非常災害発生日の翌日から10月を経過
する日とのいずれか遅い日をいう。以下同じ。）の前日以前であるときは、そ
の申告期限は、特定日とする。

②　同一の被相続人から遺贈により財産を取得した全ての者のうちに(1)②の
規定の適用を受けることができる者がいる場合において、その遺贈により
財産を取得した者又はその者の相続人の相続税の申告期限が特定日の前日
以前であるときは、その申告期限は、特定日とする。

## 2 ．贈与税の課税価格の計算の特例　　　　　　　　　　重要度○

(1)　**内　容**（措法69の 7 ①）

個人が特定非常災害発生日の属する年の 1 月 1 日からその特定非常災害発
生日の前日までの間に贈与により取得した財産でその特定非常災害発生日に
おいて所有していたもののうちに、特定土地等又は特定株式等がある場合に
は、その特定土地等又は特定株式等については、贈与税の課税価格に算入す
べき価額は、評価の原則の規定にかかわらず、**特定非常災害の発生直後の価
額として一定の金額とすることができる。**

(2)　**手　続**（措法69の 7 ②）

①　(1)の規定は、贈与税の期限内申告書（期限後申告書及び修正申告書を含
む。）又は更正請求書にこの規定の適用を受けようとする旨の記載がある
場合に限り、適用する。

②　①の規定の適用については、税務署長がやむを得ない事情があると認
めるときは、この限りでない。

(3)　**申告期限の特例**（措法69の 8 ③④）

①　特定非常災害発生日の属する年の 1 月 1 日から12月31日までの間に贈
与により財産を取得した個人で(1)の規定の適用を受けることができるも
のの贈与税の申告期限が特定日の前日以前である場合には、その申告期
限は、特定日とする。

②　①の者の相続人の贈与税の申告期限が特定日の前日以前であるときは、
その申告期限は、特定日とする。

テーマ
・・・・・
**10**

# 10−2 相続時精算課税に係る土地又は建物の価額の特例

## 1．相続時精算課税に係る土地又は建物の価額の特例

（措法70の3の3①）　重要度○

　　相続時精算課税適用者が特定贈与者からの贈与により取得した土地又は建物が、その贈与を受けた日からその特定贈与者の死亡に係る相続税の期限内申告書の提出期限までの間に災害によって相当の被害として一定程度の被害を受けた場合（その相続時精算課税適用者がその土地又は建物をその贈与を受けた日からその災害が発生した日まで引き続き所有していた場合に限る。）において、その相続時精算課税適用者が贈与税の納税地の所轄税務署長の承認を受けたときにおける相続時精算課税に係る相続税の計算については、相続時精算課税適用財産の価額から当該被害を受けた部分に対応する一定の金額を控除する。

## 2．適用関係 （措法70の3の3③）

重要度△

　　1の規定は、相続時精算課税適用者が1の土地又は建物について災害減免法の規定の適用を受けようとする場合又は受けた場合は、適用しない。

## 3．手　続 （措令40の5の3⑤）

重要度△

　　1の承認を受けようとする相続時精算課税適用者は、災害による被害を受けた部分の価額その他一定の事項を記載した申請書を、その災害が発生した日から3年を経過する日までに贈与税の納税地の所轄税務署長に提出しなければならない。

（MEMO）

## 10-3　災害減免法

### 1. 申告期限後に災害による被害を受けた場合の相続税又は贈与税の税額の免除 重要度○

#### (1) 内　容（災免法4）

　　相続税又は贈与税の納税義務者で災害により相続もしくは遺贈又は贈与により取得した財産について申告期限後に甚大な被害を受けたものに対しては、被害があった日以後において納付すべき相続税又は贈与税（附帯税を除く。以下同じ。）のうち、被害を受けた部分に対する税額を免除する。

#### (2) 甚大な被害の判定及び免除額の算定（災免令11①）

　　相続税又は贈与税の納税義務者で、相続もしくは遺贈又は贈与により取得した財産について申告期限後に災害により被害を受けた場合において次の要件のいずれかに該当するものに対しては、被害のあった日以後において納付すべき相続税又は贈与税のうち、次の算式により計算した金額に相当する税額を免除する。

《算　式》

$$\text{被害のあった日以後において納付すべき相続税額又は贈与税額} \times \frac{\text{被害を受けた部分の価額}}{\text{課税価格の計算の基礎となった財産の価額}}$$

① 　相続税又は贈与税の課税価格の計算の基礎となった財産の価額のうちに被害を受けた部分の価額の占める割合が10分の1以上であること。

② 　相続税又は贈与税の課税価格の計算の基礎となった動産（金銭及び有価証券を除く。）、不動産（土地及び土地の上に存する権利を除く。）及び立木（以下「動産等」という。）の価額のうちにその動産等について被害を受けた部分の価額の占める割合が10分の1以上であること。

#### (3) 手　続（災免令11②）

　　(1)の規定の適用を受けようとする者は、一定の申請書を、災害のやんだ日から2月以内に、納税地の所轄税務署長に提出しなければならない。

## ２．申告期限前に災害による被害を受けた場合の相続税又は贈与税の課税価格の計算　重要度○

(1)　内　容（災免法６）

　　相続税又は贈与税の納税義務者で災害により相続もしくは遺贈又は贈与により取得した財産について申告期限前に甚大な被害を受けたものの納付すべき相続税又は贈与税については、その財産の価額は、被害を受けた部分の価額を控除した金額により、これを計算する。

(2)　甚大な被害の判定（災免令12①②）

　　相続税又は贈与税の納税義務者で、相続もしくは遺贈又は贈与により取得した財産について申告期限前に災害により被害を受けた場合において次の要件のいずれかに該当するものの納付すべき相続税又は贈与税については、これらの事由により取得した財産の価額は、被害を受けた部分の価額を控除して、これを計算する。

①　相続税又は贈与税の課税価格の計算の基礎となるべき財産の価額のうちに被害を受けた部分の価額の占める割合が10分の１以上であること。

②　相続税又は贈与税の課税価格の計算の基礎となるべき動産等の価額のうちにその動産等について被害を受けた部分の価額の占める割合が10分の１以上であること。

(3)　手　続（災免令12③）

　　(1)の規定の適用を受けようとする者は、相続税又は贈与税の期限内申告書（これらの申告書を提出しなかったことについて正当な事由があると認められる者がこれらの申告期限後に提出した申告書を含む。）に、その旨、被害の状況及び被害を受けた部分の価額を記載しなければならない。

テーマ
10

**243**

## 参 考　条文を読む上で注意すべき用語

　法律用語については、「慣用語」という特別な意味をもって用いられる言葉がある。条文の意味を正確に理解するためには、そうした「慣用語」について充分な知識を持っていることが要求される。

1　「みなす」「推定する」

「みなす」　⇨　ある事物と性質が異なる事物を、法律関係では同一のものとみることをいう。

「推定する」⇨　ある事物と性質が同一であるか異質であるかは不明の他の事物を、一応法律上同一視することをいう。したがって、反証があれば、同一視する法律効果は生じないこととなる。

2　「以上」「以下」「超」「未満」

「以上」「以下」⇨　基準となる数量等を含む。

「超」「未満」　⇨　基準となる数量等を含まない。

3　「以前」「以後」「前」「後」

「以前」「以後」⇨　基準となる時点を含む。

「前」「後」　　⇨　基準となる時点を含まない。

4　「又は」「もしくは」

「又は」　　　⇨　大きな選択的接続に用いる。

「もしくは」⇨　小さな選択的接続に用いる。

> 「土地もしくは家屋又は金銭」
> 　土地か家屋、それらと金銭のいずれか

5　「及び」「並びに」

「及び」　⇨　小さな併合的接続に用いる。

「並びに」⇨　大きな併合的接続に用いる。

> 「墓地及び祭具並びにこれらに準ずるもの」
> 　墓地と祭具それに墓地と祭具と同様に取り扱うもの

6　「その他の」「その他」

「Aその他のB」⇨Aは、Bの例示の1つであり、Aは、Bに含まれている。

「Aその他B」　⇨Aは、Bに含まれておらず、AとBは、並列状態にある。

「その他の」

| B | A |
|---|---|

「その他」

| A |
|---|
| B |

7　「場合」「とき」「時」

「場合」　⇨　前提条件を示す。前提条件が2ある場合には、大きい前提条件を示す。

「とき」　⇨　「場合」と同時に用いて、「場合」が大きい前提条件を示すのに対して「とき」は、小さい前提条件を示す。

「時」　⇨　時間的な表現である。

> 「Aである場合において、Bであるときは、適用がある」
> 　Aという大きな前提条件を満たした上で、Bという小さな前提条件も満たしたならば、適用がある。

8　「者」「物」「もの」

「者」　⇨　人格を持つ自然人（個人）及び法人を示す。

「物」　⇨　人格者以外の有体物を示す。

「もの」⇨　①　「者」「物」にあたらない抽象的なものを示す。

　　　　　②　「で」の前にある言葉を受ける代名詞を示す。

> 「東京都に住所を有する男性で運転免許を有するもの」
> 　東京都に住所を有していて、しかも運転免許を持っている男性。つまり、「もの」は、男性と読み換えることができる。

(MEMO)

(MEMO)

税理士受験シリーズ

# 2025年度版　38　相続税法　理論マスター

（昭和60年度版　1985年1月10日　初版　第1刷発行）

2024年8月28日　初　版　第1刷発行

| | | |
|---|---|---|
| 編 著 者 | T A C 株 式 会 社 | |
| | （税理士講座） | |
| 発 行 者 | 多　田　敏　男 | |
| 発 行 所 | T A C株式会社　出版事業部 | |
| | （T A C出版） | |

〒101-8383
東京都千代田区神田三崎町3-2-18
電話03(5276)9492(営業)
FAX 03(5276)9674
https://shuppan.tac-school.co.jp

| | | |
|---|---|---|
| 印　　刷 | 株式会社　ワ　コ　ー | |
| 製　　本 | 株式会社　常　川　製　本 | |

ⓒ TAC 2024　　Printed in Japan

ISBN 978-4-300-11338-7
N.D.C. 336

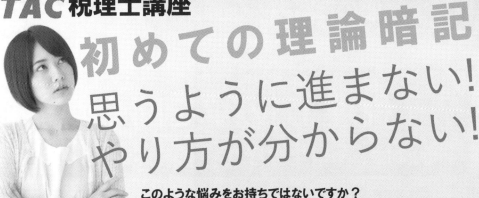

# TAC税理士講座

## 初めての理論暗記
## 思うように進まない!
## やり方が分からない!

**このような悩みをお持ちではないですか?**
TAC税理士講座では、税法科目に初めてチャレンジされる方を対象に、
理論の効果的かつ効率的な暗記方法をWeb配信します。
理論暗記が本格的にスタートする前に、理論暗記のコツをしっかりつかみましょう!

# 初学者のための
# 税法理論暗記Webセミナー

## 無料配信

**配信期間:2024年9月30日(月)~2025年7月31日(木)**

# TAC税理士講座
## 相続税法講師　田辺　佑輔

試験に合格した人の中で、苦労せず理論を暗記できた人はいません。一人一人が努力や工夫をして、本試験に臨んでいます。
当セミナーでは、これから理論暗記を始める方に向けて、少しでも効率よく理論暗記ができるよう、暗記の「コツ」をお伝えします!

### ◆セミナー内容

1. 理論暗記の重要性
2. 理論暗記の時間を確保する方法
3. 暗記の実践
4. 答案の書き方および暗記後の反復学習について

### ◆準備するもの

・理論マスター
（または現在暗記に使用している理論教材）

### ◆視聴方法

◆「TAC動画チャンネル」でご視聴いただけます。

◆基礎マスター+上級コース・年内完結+上級コース・ベーシックコース・速修コースの税法科目受講生は、「TAC WEB SCHOOL」でもご視聴いただけます。

| TAC税理士　動画 | 検索 |

https://www.tac-school.co.jp/kouza_zeiri/tacchannel.html

## 「税理士」の扉を開くカギ

### それは、合格できる教育機関を決めること!

あなたが教育機関を決める最大の決め手は何ですか?

通いやすさ、受講料、評判、規模、いろいろと検討事項はありますが、一番の決め手となること、それは「合格できるか」です。

TACは、税理士講座開講以来今日までの40年以上、「受講生を合格に導く」ことを常に考え続けてきました。そして、「最小の努力で最大の効果を発揮する、良質なコンテンツの提供」をもって多数の合格者を輩出し、今も厚い信頼と支持をいただいております。

令和5年度 税理士試験
TAC 合格祝賀パーティー

東京会場　ホテルニューオータニ

## 合格者から「喜びの声」を多数お寄せいただいています。

https://www.tac-school.co.jp/kouza_zeiri/zeiri_jisseki.html

# ズバリ的中！ 的中

## 高い的中実績を誇る
## TACの本試験対策

TACが提供する演習問題などの本試験対策は、毎年高い的中実績を誇ります。
これは、合格カリキュラムをはじめ、講義・教材など、明確な科目戦略に基づいた合格コンテンツの結果でもあります。

### 簿記論

#### TAC実力完成答練 第2回

●実力完成答練 第2回〔第三問〕【資料2】1
【資料2】決算整理事項等
1 現金に関する事項
決算整理前残高試算表の現金はすべて少額経費の支払のために使用している小口現金である。小口現金については設定額を100,000円とする定額資金前渡制度（インプレスト・システム）を採用しており、毎月末に使用額の報告を受けて、翌月1日に使用額と同額の小切手を振り出して補給している。
2023年3月のその他の営業費として使用した額が97,460円(税込み)であった旨の報告を受けたが処理は行っていない。なお、現金の実際有高は2,700円であったため、差額については現金過不足として雑収入または雑損失に計上することとする。

#### 2023年度 本試験問題

〔第三問〕【資料2】1
【資料2】決算整理事項等
1 小口現金
甲社は、定額資金前渡法による小口現金制度を採用し、担当部署に100,000円を渡して月末に小切手を振り出して補給することとしている。決算整理前残高試算表の金額は3月末の補給前の金額であり、3月末の補給は既になされているが会計処理は未処理である。
なお、3月末の補給前の小口現金の実際残高では63,000円であり、帳簿残高との差額を調査した。3月31日の午前と午後に3月分の新聞代（その他の費用勘定）4,320円(税込み、軽減税率8%)を誤って二重に支払い、午前と午後にそれぞれ会計処理が行われていた。この二重払いについては4月中に4,320円の返金を受けることになっている。調査では、他に原因が明らかになるものは見つからなかった。

### 財務諸表論

#### TAC実力完成答練 第2回

●実力完成答練 第2回〔第三問〕2 (3)
(3) 前期末において C社に対する売掛金15,000千円を貸倒懸念債権に分類していたが、同社は当期に二度目の不渡りを発生させ、銀行取引停止処分を受けた。当該債権について今後1年以内に回収が困難と判断し、破産更生債権等に分類する。なお、当期において同社との取引はなく、取引開始時より有価証券（取引開始時の時価2,500千円、期末時価3,000千円）を担保として入手している。

#### 2023年度 本試験問題

〔第三問〕2 (2)
(2) 得意先D社に対する営業債権は、前期において経営状況が悪化していたため貸倒懸念債権に分類していたが、同社はX5年2月に二度目の不渡りを発生させ銀行取引停止処分になった。D社に対する営業債権の期末残高は受取手形6,340千円及び売掛金3,750千円である。なお、D社からは2,000千円相当のゴルフ会員権を担保として受け入れている。

### 所得税法

#### TAC実力完成答練 第4回

●実力完成答練 第4回〔第一問〕問2
問2 所得税法第72条（雑損控除）の規定において除かれている資産について損失が生じた場合の、その損失が生じた年分の各種所得の金額の計算における取扱いを説明しなさい。
なお、租税特別措置法に規定する取扱いについては、説明を要しない。

#### 2023年度 本試験問題 的中

〔第二問〕問2
問2 地震等の災害により、居住者が所有している次の（1）〜（3）の不動産に被害を受けた場合の、その被害による損失は所得税法上どのような取扱いとなるか、簡潔に説明しなさい。
なお、説明に当たっては、損失金額の計算方法の概要についても併せて説明しなさい。
(注)「災害被害者に対する租税の減免、徴収猶予等に関する法律」に規定されている事項については、説明する必要はない。

(1) 居住している不動産
(2) 事業の用に供している賃貸用不動産
(3) 主として保養の目的で所有している不動産

### 消費税法

#### TAC理論ドクター

●理論ドクター P203
10. レストランへの食材の販売
当社は、食品卸売業を営んでいます。当社の取引先であるレストランに対して、そのレストラン内で提供する食事の食材を販売していますが、この場合は軽減税率の適用対象となりますか。

#### 2023年度 本試験問題 的中

〔第一問〕問2 (2)
(2) 食品卸売業を営む内国法人E社は、飲食店業を営む内国法人F社に対して、F社が経営するレストランで提供する食事の食材（肉類）を販売した。
E社がF社に対し行う食材（肉類）の販売に係る消費税の税率について、消費税法令上の適用関係を述べなさい。

## 他の科目でも的中続出！（TAC税理士講座ホームページで公開）

# 2025年合格目標コース

## 反復学習でインプット強化! & 豊富な演習量で実践力強化!

### 対象者：初学者／次の科目の学習に進む方

| 2024年 | | | | 2025年 | | | | | | | |
|---|---|---|---|---|---|---|---|---|---|---|---|
| 9月 | 10月 | 11月 | 12月 | 1月 | 2月 | 3月 | 4月 | 5月 | 6月 | 7月 | 8月 |

**9月入学 基礎マスター＋上級コース**（簿記・財表・相続・消費・酒税・固定・事業・国徴）
3回転学習！年内はインプットを強化、年明けは演習機会を増やして実践力を鍛える！
※簿記・財表は5月・7月・8月・10月入学コースもご用意しています。

**9月入学 ベーシックコース**（法人・所得）
2回転学習！週2ペース、8ヵ月かけてインプットを鍛える！

**9月入学 年内完結＋上級コース**（法人・所得）
3回転学習！年内はインプットを強化、年明けは演習機会を増やして実践力を鍛える！

**12月・1月入学　速修コース**（全11科目）
7ヵ月～8ヵ月間で合格レベルまで仕上げる！

**3月入学　速修コース（消費・酒税・固定・国徴）**
短期集中で税法合格を目指す！

税理士試験

### 対象者：受験経験者（受験した科目を再度学習する場合）

| 2024年 | | | | 2025年 | | | | | | | |
|---|---|---|---|---|---|---|---|---|---|---|---|
| 9月 | 10月 | 11月 | 12月 | 1月 | 2月 | 3月 | 4月 | 5月 | 6月 | 7月 | 8月 |

**9月入学　年内上級講義＋上級コース**（簿記・財表）
年内に基礎・応用項目の再確認を行い、実力を引き上げる！

**9月入学　年内上級演習＋上級コース**（法人・所得・相続・消費）
年内から問題演習に取り組み、本試験時の実力維持・向上を図る！

**12月入学　上級コース**（全10科目）
※住民税の開講はございません
講義と演習を交互に実施し、答案作成力を養成！

税理士試験

※2024年7月12日時点の情報です。最新の情報は、TAC税理士講座ホームページをご確認ください。

# "入学前サポート"を活用しよう!

## 無料セミナー&個別受講相談

無料セミナーでは、税理士の魅力、試験制度、科目選択の方法や合格のポイントをお伝えしていきます。セミナー終了後は、個別受講相談でみなさんの疑問や不安を解消します。

TAC 税理士 セミナー 検索
https://www.tac-school.co.jp/kouza_zeiri/zeiri_gd_gd.htm

## 無料Webセミナー

TAC動画チャンネルでは、校舎で開催しているセミナーのほか、Web限定のセミナーも多数配信しています。受講前にご活用ください。

TAC 税理士 動画 検索
https://www.tac-school.co.jp/kouza_zeiri/tacchannel.html

## 体験入学

教室講座開講日（初回講義）は、お申込み前でも無料で講義を体験できます。講師の熱意や校舎の雰囲気を是非体感してください。

TAC 税理士 体験 検索
https://www.tac-school.co.jp/kouza_zeiri/zeiri_gd_taiken.html

## 税理士11科目Web体験

「税理士11科目Web体験」では、TAC税理士講座で開講する各科目・コースの初回講義をWeb視聴いただけるサービスです。講義の分かりやすさを確認いただき、学習のイメージを膨らませてください。

TAC 税理士 検索
https://www.tac-school.co.jp/kouza_zeiri/taiken_form.html

# 税理士講座のご案内

# チャレンジコース

**受験経験者・独学生待望のコース!**

**4月上旬開講!**

| 開講科目 | 簿記・財表・法人 所得・相続・消費 |
|---|---|

**基礎知識の底上げ**  **徹底した本試験対策**

チャレンジ講義 + チャレンジ演習 + 直前対策講座 + 全国公開模試

**受験経験者・独学生向けカリキュラムが一つのコースに!**

※チャレンジコースには直前対策講座(全国公開模試含む)が含まれています。

---

# 直前対策講座

**5月上旬開講!**

## 本試験突破の最終仕上げ!

直前期に必要な対策が
すべて揃っています!

| 学習メディア | 教室講座・ビデオブース講座 Web通信講座・DVD通信講座・資料通信講座 |
|---|---|

＼ 全11科目対応 ／

| 開講科目 | 簿記・財表・法人・所得・相続・消費 酒税・固定・事業・住民・国徴 |
|---|---|

**徹底分析!「試験委員対策」**

**即時対応!「税制改正」**

**毎年的中!「予想答練」**

※直前対策講座には全国公開模試が含まれています。

---

チャレンジコース・直前対策講座ともに詳しくは2月下旬発刊予定の
**「チャレンジコース・直前対策講座パンフレット」**をご覧ください。

# TAC出版 書籍のご案内

TAC出版では、資格の学校TAC各講座の定評ある執筆陣による資格試験の参考書をはじめ、資格取得者の開業法や仕事術、実務書、ビジネス書、一般書などを発行しています!

## TAC出版の書籍
*一部書籍は、早稲田経営出版のブランドにて刊行しております。

### 資格・検定試験の受験対策書籍

- ❂日商簿記検定
- ❂建設業経理士
- ❂全経簿記上級
- ❂税 理 士
- ❂公認会計士
- ❂社会保険労務士
- ❂中小企業診断士
- ❂証券アナリスト

- ❂ファイナンシャルプランナー(FP)
- ❂証券外務員
- ❂貸金業務取扱主任者
- ❂不動産鑑定士
- ❂宅地建物取引士
- ❂賃貸不動産経営管理士
- ❂マンション管理士
- ❂管理業務主任者

- ❂司法書士
- ❂行政書士
- ❂司法試験
- ❂弁理士
- ❂公務員試験(大卒程度・高卒者)
- ❂情報処理試験
- ❂介護福祉士
- ❂ケアマネジャー
- ❂電験三種　ほか

### 実務書・ビジネス書

- ❂会計実務、税法、税務、経理
- ❂総務、労務、人事
- ❂ビジネススキル、マナー、就職、自己啓発
- ❂資格取得者の開業法、仕事術、営業術

### 一般書・エンタメ書

- ❂ファッション
- ❂エッセイ、レシピ
- ❂スポーツ
- ❂旅行ガイド (おとな旅プレミアム/旅コン)

(2024年2月現在)

# 書籍のご購入は

## 1 全国の書店、大学生協、ネット書店で

## 2 TAC各校の書籍コーナーで

資格の学校TACの校舎は全国に展開！
校舎のご確認はホームページにて

資格の学校TAC ホームページ
**https://www.tac-school.co.jp**

## 3 TAC出版書籍販売サイトで

**CYBER** TAC出版書籍販売サイト
**BOOK STORE**

24時間ご注文受付中

| TAC 出版 | で 検索 |

**https://bookstore.tac-school.co.jp/**

新刊情報を
いち早くチェック！

たっぷり読める
立ち読み機能

学習お役立ちの
特設ページも充実！

TAC出版書籍販売サイト「サイバーブックストア」では、TAC出版および早稲田経営出版から刊行されている、すべての最新書籍をお取り扱いしています。
また、会員登録（無料）をしていただくことで、会員様限定キャンペーンのほか、送料無料サービス、メールマガジン配信サービス、マイページのご利用など、うれしい特典がたくさん受けられます。

## サイバーブックストア会員は、特典がいっぱい！(一部抜粋)

通常、1万円（税込）未満のご注文につきましては、送料・手数料として500円（全国一律・税込）頂戴しておりますが、1冊から無料となります。

メールマガジンでは、キャンペーンやおすすめ書籍、新刊情報のほか、「電子ブック版TACNEWS（ダイジェスト版）」をお届けします。

専用の「マイページ」は、「購入履歴・配送状況の確認」のほか、「ほしいものリスト」や「マイフォルダ」など、便利な機能が満載です。

書籍の発売を、販売開始当日にメールにてお知らせします。これなら買い忘れの心配もありません。

# 2025年度版 税理士試験対策書籍のご案内

TAC出版では、独学用、およびスクール学習の副教材として、各種対策書籍を取り揃えています。学習の各段階に対応していますので、あなたのステップに応じて、合格に向けてご活用ください!

（刊行内容、発行月、装丁等は変更することがあります）

## ●2025年度版 税理士受験シリーズ

税理士試験において長い実績を誇るTAC。このTACが長年培ってきた合格ノウハウを"TAC方式"としてまとめたのがこの「税理士受験シリーズ」です。近年の豊富なデータをもとに傾向を分析、科目ごとに最適な内容としているので、トレーニング演習に欠かせないアイテムです。

### 簿記論

| | | | |
|---|---|---|---|
| 01 | 簿 記 論 | 個別計算問題集 | （8月） |
| 02 | 簿 記 論 | 総合計算問題集 基礎編 | （9月） |
| 03 | 簿 記 論 | 総合計算問題集 応用編 | （11月） |
| 04 | 簿 記 論 | 過去問題集 | （12月） |
| | 簿 記 論 | 完全無欠の総まとめ | （11月） |

### 財務諸表論

| | | | |
|---|---|---|---|
| 05 | 財務諸表論 | 個別計算問題集 | （8月） |
| 06 | 財務諸表論 | 総合計算問題集 基礎編 | （9月） |
| 07 | 財務諸表論 | 総合計算問題集 応用編 | （12月） |
| 08 | 財務諸表論 | 理論問題集 基礎編 | （9月） |
| 09 | 財務諸表論 | 理論問題集 応用編 | （12月） |
| 10 | 財務諸表論 | 過去問題集 | （12月） |
| 33 | 財務諸表論 | 重要会計基準 | （8月） |
| ※ | 財務諸表論 | 重要会計基準 暗記音声 | （8月） |
| | 財務諸表論 | 完全無欠の総まとめ | （11月） |

### 法人税法

| | | | |
|---|---|---|---|
| 11 | 法 人 税 法 | 個別計算問題集 | （11月） |
| 12 | 法 人 税 法 | 総合計算問題集 基礎編 | （10月） |
| 13 | 法 人 税 法 | 総合計算問題集 応用編 | （12月） |
| 14 | 法 人 税 法 | 過去問題集 | （12月） |
| 34 | 法 人 税 法 | 理論マスター | （8月） |
| ※ | 法 人 税 法 | 理論マスター 暗記音声 | （9月） |
| 35 | 法 人 税 法 | 理論ドクター | （12月） |
| | 法 人 税 法 | 完全無欠の総まとめ | （12月） |

### 所得税法

| | | | |
|---|---|---|---|
| 15 | 所 得 税 法 | 個別計算問題集 | （9月） |
| 16 | 所 得 税 法 | 総合計算問題集 基礎編 | （10月） |
| 17 | 所 得 税 法 | 総合計算問題集 応用編 | （12月） |
| 18 | 所 得 税 法 | 過去問題集 | （12月） |
| 36 | 所 得 税 法 | 理論マスター | （8月） |
| ※ | 所 得 税 法 | 理論マスター 暗記音声 | （9月） |
| 37 | 所 得 税 法 | 理論ドクター | （12月） |

### 相続税法

| | | | |
|---|---|---|---|
| 19 | 相 続 税 法 | 個別計算問題集 | （9月） |
| 20 | 相 続 税 法 | 財産評価問題集 | （9月） |
| 21 | 相 続 税 法 | 総合計算問題集 基礎編 | （9月） |
| 22 | 相 続 税 法 | 総合計算問題集 応用編 | （12月） |
| 23 | 相 続 税 法 | 過去問題集 | （12月） |
| 38 | 相 続 税 法 | 理論マスター | （8月） |
| ※ | 相 続 税 法 | 理論マスター 暗記音声 | （9月） |
| 39 | 相 続 税 法 | 理論ドクター | （12月） |

### 酒税法

| | | | |
|---|---|---|---|
| 24 | 酒 税 法 | 計算問題+過去問題集 | （2月） |
| 40 | 酒 税 法 | 理論マスター | （8月） |

※暗記音声はダウンロード商品です。TAC出版書籍販売サイト「サイバーブックストア」にてご購入いただけます。

## ●2025年度版 みんなが欲しかった！税理士 教科書＆問題集シリーズ

> 効率的に税理士試験対策の学習ができないか？ これを突き詰めてできあがったのが、「みんなが欲しかった！税理士 教科書＆問題集シリーズ」です。必要十分な内容をわかりやすくまとめたテキスト（教科書）と内容確認のためのトレーニング（問題集）が1冊になっているので、効率的な学習に最適です。

## ●解き方学習用問題集

現役講師の解答手順、思考過程、実際の書込みなど、㊙テクニックを完全公開した書籍です。

## ●その他関連書籍

**好評発売中！**

**TACの書籍は
こちらの方法でご購入
いただけます**

**1** 全国の書店・大学生協　**2** TAC各校 書籍コーナー

**3** CYBER TAC出版書籍販売サイト **BOOK STORE** アドレス https://bookstore.tac-school.co.jp/

・2024年7月現在　・年度版各巻の価格は、決定しだい上記**3**のサイバーブックストアに掲載されますのでご参照ください

# 書籍の正誤に関するご確認とお問合せについて

書籍の記載内容に誤りではないかと思われる箇所がございましたら、以下の手順にてご確認とお問合せをしてくださいますよう、お願い申し上げます。

なお、正誤のお問合せ以外の**書籍内容に関する解説および受験指導などは、一切行っておりません。**
そのようなお問合せにつきましては、お答えいたしかねますので、あらかじめご了承ください。

## 1 「Cyber Book Store」にて正誤表を確認する

TAC出版書籍販売サイト「Cyber Book Store」の
トップページ内「正誤表」コーナーにて、正誤表をご確認ください。

**CYBER** TAC出版書籍販売サイト
**BOOK STORE**

### URL:https://bookstore.tac-school.co.jp/

## 2 ①の正誤表がない、あるいは正誤表に該当箇所の記載がない ⇒ 下記①、②のどちらかの方法で文書にて問合せをする

★ご注意ください★

**お電話でのお問合せは、お受けいたしません。**
①、②のどちらの方法でも、お問合せの際には、「お名前」とともに、
「対象の書籍名(○級・第○回対策も含む)およびその版数(第○版・○○年度版など)」
「お問合せ該当箇所の頁数と行数」
「誤りと思われる記載」
「正しいとお考えになる記載とその根拠」
を明記してください。
なお、回答までに1週間前後を要する場合もございます。あらかじめご了承ください。

### ① ウェブページ「Cyber Book Store」内の「お問合せフォーム」より問合せをする

**【お問合せフォームアドレス】**

### https://bookstore.tac-school.co.jp/inquiry/

### ② メールにより問合せをする

**【メール宛先　TAC出版】**

### syuppan-h@tac-school.co.jp

※土日祝日はお問合せ対応をおこなっておりません。
※正誤のお問合せ対応は、該当書籍の改訂版刊行月末日までといたします。

乱丁・落丁による交換は、該当書籍の改訂版刊行月末日までといたします。なお、書籍の在庫状況等により、お受けできない場合もございます。
また、各種本試験の実施の延期、中止を理由とした本書の返品はお受けいたしません。返金もいたしかねますので、あらかじめご了承くださいますようお願い申し上げます。

(2022年7月現在)